Rajeunir et rester jeune

Du même auteur:
Yoga avec Colette Maher
Éditions Guérin, 1er trimestre 1974

Rajeunir par la Technique Nadeau
Éditions Quebecor, 4e trimestre 1984

LES ÉDITIONS DE L'ÉPOQUE
Une division de Québecmag (1984) inc.
3510, boul. Saint-Laurent, suite 300
Montréal, QC, H2X 2V2
(514) 286-1333

Éditeur:
Pierre Nadeau

Conception graphique: Gilles Cyr, Le Graphicien inc.

Distribution:
Agence de Distribution Populaire inc. (ADP)
(514) 523-1182

Dépôt légaux, premier trimestre 1986:
Bibliothèque nationale du Québec et
Bibliothèque nationale du Canada

ISBN 2-89301-014-8

Rajeunir et rester jeune

Colette Maher

par la technique mentale

PRÉFACE

Dans son dernier livre à grand succès *Rajeunir par la Technique Nadeau*, Colette Maher nous parle du rajeunissement du corps par une technique révolutionnaire d'exercices physiques.

J'ai eu le privilège de lire le manuscrit de son nouvel ouvrage *Rajeunir et rester jeune*, par la technique mentale et l'autosuggestion, un domaine bien à Colette Maher dans lequel elle a toujours excellé et qui a fait sa grande réputation. Je vous avoue avoir tant aimé l'ouvrage que vous vous apprêtez à lire que j'ai demandé à l'auteur le privilège de le préfacer.

Ici, on voit et on sent Colette Maher tout à fait à l'aise. Elle excelle. Elle fouille l'esprit humain, dissèque son comportement et ses réactions avec une méticulosité, une précision, une sincérité et une audace dignes des plus grands experts. Elle ne s'arrête pas là: elle apporte une solution à chaque problème d'une façon simple et à la portée de tous.

C'est peut-être l'unique livre que j'ai lu du début à la fin sans m'arrêter un instant, tellement il est attachant, réaliste, franc et même audacieux. C'est définitivement un chef-d'oeuvre dans le domaine du mental. Quand on connaît Colette Maher, on sait qu'elle n'aurait jamais publié cet ouvrage si elle n'avait réalisé en son for intérieur qu'il serait d'une grande utilité pour ceux et celles qui veulent rester jeunes et améliorer leur qualité de vie.

Bravo Colette, et bonne lecture à tous.

Antoine Bakhos

Première partie

L'ESPRIT:
La véritable
fontaine de Jouvence

Chapitre I

LE VIEILLISSEMENT

Il n'est pas toujours facile ni agréable de vieillir quand cela devient synonyme de perte d'autonomie, de dépression, de rétrécissement du cercle de ses fréquentations ou d'un ralentissement général de ses activités. De nos jours, cependant, le processus du vieillissement nous est suffisamment connu grâce aux recherches en gérontologie, en psychologie ou en diététique pour que chacun d'entre nous puisse espérer acquérir un certain contrôle sur son évolution personnelle, afin d'avancer en âge dans le bien-être et la sérénité.

On ne peut arrêter l'horloge chronologique et vivre éternellement, mais *il est possible, en acquérant la maîtrise progressive de certaines techniques et en modifiant nos habitudes de vie en conséquence, de vieillir en restant jeune et même en rajeunissant.* Picasso aurait dit un jour qu'il avait mis beaucoup de temps à devenir jeune. C'est dans cet esprit que vous devriez aborder la lecture de ce livre, surtout que cette phrase traduit l'attitude fondamen-

11

tale que doit adopter quiconque réalise qu'*être vieux* — *ou jeune* — *n'a rien à voir avec l'âge*.

Les exemples ne manquent pas qui viennent contredire cette illusion tenace de notre société, qui veut que l'âge et l'état d'esprit ou de santé coïncident: un tel, âgé de vingt-huit ans et récemment divorcé, dira qu'à la fin de son mariage il se sentait très vieux; telle autre, qui vient d'avoir quarante ans, dira qu'elle ne s'est jamais sentie aussi bien.

Il faut retenir de ceci que notre âge est avant tout notre âge psychologique et affectif: *c'est souvent parce que nous nous résignons à accepter comme un destin inévitable de mauvaises habitudes de vie que notre corps en vient à perdre sa souplesse et sa vitalité, parfois même sa santé.*

Vous connaissez peut-être cet historien américain qui avait décidé de rompre avec la vie universitaire qui lui semblait mal se prêter à une approche sereine de l'âge mûr, et qui écrivit alors un petit livre dans lequel il traçait un tableau de ce qui lui semblait être les différentes étapes de la vie. Il pensait, en résumé, que la vie se découpait en tranches de sept ans, et que l'individu alternait entre des périodes de créativité et de grande activité, durant lesquelles il découvrait et mettait à l'épreuve un nouvel aspect de lui-même, et des périodes de mutation et de maturation qui préparaient la prochaine phase active. Aujourd'hui, cette théorie peut sembler presque banale quand on pense à tout ce qui s'écrit et se dit sur les possibilités qui nous sont offertes de mener une vie qui ne soit pas terne et répétitive, mais cette théorie indique bien le chemin que nous avons parcouru ces dernières années, à savoir que personne ne pense plus que la vie se résume à la jeunesse, l'âge adulte et la vieillesse. Nous ne pensons plus que la vieillesse est une longue déchéance, une chute hors du paradis de la jeunesse et de ses illusions d'éternité, mais bien une *évolution*. *La vie ne s'arrête pas à 40, à 60 ou à 70 ans.* La personnalité humaine est une entité mobile qui n'a rien à voir avec cette image mécanique de la personne que nous offre le monde du travail: il n'y a pas l'âge où l'on apprend, celui où l'on travaille et celui où on laisse sa place. *L'âge que vous avez est inséparable de l'image que vous avez de vous-même et la qualité de votre vie dépend entièrement de votre aptitude à conserver ou à retrouver cette acuité d'esprit qui vous permettra d'être à l'écoute de vous-même.*

Pensez votre vie non pas comme un arbre qui bourgeonne, profite, puis perd ses feuilles, mais comme une marée, une série de cycles qui viennent et qui vont sans jamais que le mouvement ne s'arrête.

Habitudes de vie et vieillissement

J'ai dit que la société ne tenait pas compte de l'évolution de la personne: une des causes en est que l'augmentation de l'espérance de vie, du moins en Occident, est un phénomène relativement récent. Sous l'ancien régime, en France, par exemple, il était rare qu'un mariage se prolonge au-delà de 15 ou 20 ans, étant donné l'âge relativement jeune où mouraient beaucoup de personnes. Aussi les adultes connaissaient-ils plusieurs partenaires sexuels au cours de leur existence puisque le veuvage n'était jamais très long et que l'on se remariait rapidement. Aimer quelqu'un jusqu'à ce que «la mort nous sépare» n'avait pas du tout le même sens qu'aujourd'hui. Ceci jette un éclairage nouveau sur un des problèmes les plus répandus du «vieillissement», la culpabilité ou la dépression que nous vivons dans le veuvage ou le divorce. Nous n'apprenons pas spontanément ce qu'il est nécessaire de savoir ou de ressentir pour évoluer harmonieusement, et la société, malgré qu'elle soit dirigée par des leaders de plus en plus âgés, ne nous fournit que des modèles économiques de vie sociale: la publicité, la mode, la consommation nous apprennent à penser notre existence d'une manière artificielle.

Mais qu'est-ce que le vieillissement? Sur le plan biologique et physiologique, certaines réponses sont à notre disposition, mais celles-ci doivent toujours être relativisées en fonction des modes de vie. Ainsi nous savons qu'à chaque jour nous perdons des milliers de cellules que notre corps remplace de moins en moins. Mais qu'est-ce qui explique que cette dégénérescence soit plus ou moins rapide d'une personne à l'autre ou d'une culture à l'autre? Et comment intervenir sur ce processus pour le ralentir et maintenir une bonne qualité de vie? Sur le plan de l'exercice physique, je suggère fortement la pratique de la Technique Nadeau*. C'est un système d'exercice révolutionnaire, indispensable au bon fonctionnement de l'organisme. La Technique Nadeau, alliée à la technique mentale, fera certainement de vous une personne nouvelle. Toutefois, les deux facteurs importants du vieillissement sur lesquels la gérontologie (ou science de la vieillesse) se penche sont le *stress* et l'*alimentation*. À l'alimentation se greffent souvent les problèmes de poids et de santé, tandis que le stress affecte la qualité de notre sommeil, notre vie sexuelle, nos relations affectives, notre vie professionnelle, et également notre santé. Ces deux facteurs influen-

---

* «Rajeunir par la Technique Nadeau» du même auteur.

cent sans conteste l'image que nous avons de nous-même, notre confiance et notre aptitude à affronter le changement.

La perte de notre vitalité entraîne toujours le sentiment que le contrôle de notre existence nous échappe et qu'il ne nous reste plus qu'à la subir passivement, prisonnier d'une impuissance à vivre qui engendre la dépendance et la sénilité. C'est un cercle vicieux: placé dans une situation de stress ou de malaise nous compensons (c'est-à-dire que nous recherchons un soulagement, souvent de manière inconsciente, à notre angoisse) en utilisant les moyens qui s'offrent à nous — alimentation, tabac, alcool, attentes exagérées vis-à-vis de nos proches. Nous nous installons ainsi dans un mode et des habitudes de vie de même que dans des «patterns» (ou schémas) affectifs dans lesquels nous nous sentons éventuellement étouffé et prisonnier. La peur et l'inquiétude qu'engendre ce sentiment d'impuissance peuvent frapper à tout âge, mais affectent particulièrement les personnes les plus âgées dans notre société. L'âge est une source d'embarras plutôt que de fierté et de sagesse. C'est là la véritable source du vieillissement car *il n'y a pas de raison biologique pour que la vieillesse s'accompagne de maladie, de mauvaise santé ou de dépression.*

La vie n'est pas une fatalité

Un autre préjugé tenace est celui qui veut que la vie soit une fatalité irréversible et que, rendu à un certain âge, il n'y ait plus rien d'autre à faire que d'attendre la fin, comme si la vie était un mauvais rhume ou, pis encore, un

15

mauvais moment à passer. Ce préjugé est inséparable d'une conception de la vie comme dégénérescence. Le point de départ de ce livre est qu'il n'en est pas ainsi et que, si la mort est inévitable, il n'y a aucune raison pour que la vie soit vécue comme une fatalité, dans l'attente de la mort ou dans la dépendance. Que de choses n'attend-on pas trop souvent du gouvernement ou de ses proches: la sécurité, l'assurance du bien-être, la solution à ses problèmes, etc.?

Il faut cesser de croire que notre corps vieillissant est un poids mort car c'est alors qu'il entraîne avec lui notre esprit. Le corps et l'esprit ne font qu'un et il est important que chacun mette sa foi en sa vitalité et ses possibilités au centre de sa conception de la vie afin de protéger la vitalité de l'un comme de l'autre. Chaque existence est unique et il appartient à chacun de la réaliser: ce n'est que dans le malheur que nous nous ressemblons. Les chemins du bien-être varient, quant à eux, d'une personne à l'autre. *Il vous faut prendre conscience que votre vie est votre oeuvre si vous voulez vous donner les moyens d'agir sur elle.*

Le vieillissement n'est souvent rien d'autre qu'une image que nous avons intériorisée de ce que nous devrions être ou de ce que nous pouvons être («c'est la vie!»). Nous savons, sans le savoir, que nos attitudes déterminent notre destin et c'est sur celles-ci qu'il nous faut d'abord agir. Il faut adopter un rythme et une façon de vivre qui permettent l'*adaptation au changement,* qui permettent de vivre pleinement l'instant présent, *ce qui exige souplesse du corps et de l'esprit,* connaissance et respect de soi. Ainsi triompherez-vous de la croyance la plus nocive, celle qui veut que vieillir soit une perte de vitalité et de créativité, et de notre capacité d'apprendre.

Allez-y par étapes

Une approche plus positive de soi et de ce que l'existence peut vous apporter est le point de départ. Le reste est affaire de patience et de volonté. Mon but est de vous transmettre diverses techniques *de détente et d'autosuggestion* adaptées à différents problèmes. Il n'est jamais trop tard pour vouloir redonner à notre vie une qualité qu'elle n'a plus ou lui en donner une qu'elle n'a pas encore. *Rajeunir et rester jeune passe par l'amour de soi et par le sentiment de vivre une existence gratifiante et satisfaisante.* L'amour de soi est le premier pas, celui que vous êtes le seul et la seule à pouvoir, à *devoir* franchir. Plongez, ouvrez-vous à toutes ces ressources qui dorment en vous depuis trop longtemps. Le reste, avec de la persévérance, de la confiance et du réalisme, coulera de source.

Faites-vous plaisir en lisant ce livre. Considérez-le comme un ami, cependant ne lui demandez pas l'impossible mais de la complicité. Prenez le temps de bien identifier vos objectifs (les aspects de votre vie sur lesquels vous désirez intervenir), choisissez les méthodes ou les exercices qui vous semblent à votre portée avant d'essayer ceux qui vous paraissent plus difficiles, et soyez sûr de bien maîtriser un exercice et d'être allé au bout des possibilités qu'il vous offre dans votre travail d'introspection et de suggestion avant de passer à un autre. Rien ne sert de précipiter les choses et de vouloir aller trop vite. *La première leçon est qu'il faut croire en vous-même. La deuxième est qu'il faut respecter votre rythme, votre corps et vos émotions.*

En résumé

• *La vieillesse n'est pas une chute mais une évolution. De plus, la jeunesse n'a rien à voir avec l'âge. L'une et l'autre sont avant tout un état d'esprit.*

• *Il est possible de retrouver la vitalité de notre jeunesse si nous sommes prêt à modifier d'une manière raisonnable nos habitudes de vie.*

• *Les éléments importants qui seront abordés dans ce livre sont nos attitudes et comment on peut les transformer grâce à un travail d'introspection et d'autosuggestion.*

• *Votre vie est votre oeuvre: à vous de la façonner amoureusement.*

Chapitre II

VOTRE SUBCONSCIENT ET L'AUTOSUGGESTION

L'inconscient, le moi subliminal, la subjectivité profonde, autant de termes qu'on emploie pour désigner le subconscient. Peu importe le nom cependant, car dans tous les cas on s'entend au moins pour dire que cette zone profonde de notre psychisme contrôle notre affectivité. Il n'existe pas une barrière étanche entre le subconscient et la personnalité consciente (le «moi»). Ce dont nous faisons l'expérience entre dans notre subconscient et y demeure: *le subconscient est ce dépôt d'expérience mêlée d'émotions que nous oublions et qui influence par la suite notre perception. C'est la personnalité profonde.*

La personnalité profonde est le plus souvent passive (mais elle ne dort pas!), ne faisant rien d'autre qu'enregistrer nos expériences quotidiennes en leur donnant leur coloration affective. Or, il arrive que le subconscient ne permette pas à notre personnalité consciente de s'exprimer librement. C'est qu'il est irrégulier, qu'il entraîne des blocages, des inhibitions ou des angoisses qui nous travaillent de l'intérieur et dirigent notre sensibilité en nous entraînant à notre insu vers des comportements dont nous ne voudrions pas nécessairement. C'est ce qui se produit, par exemple, quand nous acceptons un rendez-vous avec quelqu'un que nous n'avons pas envie de voir, simplement parce que nous ne sommes pas capable de dire non; ou quand on nous offre un verre et que nous ne sommes pas capable de refuser parce que l'opinion des autres a trop d'emprise sur nous. C'est également ce qui se passe chez des gens qui disent bien s'entendre dans leur vie commune mais qui ne peuvent s'empêcher de se dire des méchancetés quand ils sont avec leurs amis.

Dans tous ces cas, la personnalité profonde nous entraîne sur une «mauvaise pente», une pente sur laquelle nous ne sommes pas en contrôle de nous-même. Nous réagissons alors en fonction de ce dépôt d'émotions archaïques que constitue notre premier apprentissage de la vie dans les années d'enfance. Comme notre affectivité se trouve contrainte et déterminée par ces forces parfois morbides sans que nous en soyons conscient, cela peut même nous entraîner dans la maladie. C'est ce que l'on appelle les maladies «psychosomatiques» (soma: le corps). Certains médecins et psychologues affirment que plus de 80% des maladies et des problèmes de santé sont d'origine psychosomatique.

Cette emprise de notre subconscient sur notre conscient peut également devenir une cause de stress profond qui occasionnera à son heure des problèmes de santé. Nous savons tous que le stress est relié à notre travail et à notre mode de vie. Mais même dans ces cas-là, qu'est-ce que le stress, sinon notre réponse à une situation affectivement complexe et difficile qui met en cause l'image que nous avons de nous-même, de ce que nous voudrions être ou faire?

Mais il existe également la possibilité que le subconscient, plutôt que d'entraver la libre circulation de notre énergie vitale et de nos émotions, joue un rôle d'amplification et de stimulation de notre vie consciente. Ceci implique une prise de conscience de ce qui nous détermine au niveau profond. Il faut essayer de connaître l'anatomie des blocages susceptibles de se produire en nous. Cette connaissance de soi chacun d'entre nous peut y parvenir par un travail d'introspection et l'utilisation des techniques appropriées. Comme le disait Freud, en parlant de l'objectif ultime de la psychanalyse: là où le «ça» était, doit advenir le «je», c'est-à-dire qu'une personnalité saine est une personnalité qui n'est pas entravée par l'ignorance de soi. Le travail de la thérapie doit permettre la révélation de ce qui se tenait caché dans le secret du subconscient.

Le subconscient peut être libérateur

Certains psychologues, comme les behavioristes, nièrent à une certaine époque la possibilité de l'existence du subconscient. Plus personne aujourd'hui n'en doute cependant, tant ce sont développées ces dernières années de multiples techniques de découverte de soi. Freud en donnait pour preuve les actes manqués et les rêves. Quand vous échappez un verre en essuyant la vaisselle, vous préférez dire qu'il s'agit d'une distraction ou d'un accident, mais réfléchissez-y bien la prochaine fois et vous réaliserez que vous avez sans doute eu à ce moment une pensée *précise*.

21

L'analyse des rêves procède de la même manière, qu'il s'agisse de la psychanalyse ou de la Gestalt. Il s'agit de se demander quelles émotions se cachent derrière les objets et les actions apparemment absurdes de nos rêves. Ceci nous offre une autre image pour tenter d'illustrer la nature du subconscient, celle d'un programme, comme on parle d'un programme en informatique. Une somme d'informations ou de possibilités dormantes qui n'attendent que la bonne question ou un geste correct pour se manifester. *Tous nos actes et toutes nos pensées sont associés à des émotions.* Ceci est vrai pour le pire *et pour le meilleur.* À vous donc de trouver la clé qui dégagera les voies de votre personnalité profonde, afin que votre subconscient devienne le terrain sur lequel germera le désir de vous aimer et de vous réaliser plutôt que d'être votre propre bourreau. Car *l'inconscient accepte tout:* à vous de vous ouvrir à ce que vous désirez plutôt que de vous abandonner à un penchant fataliste qui ne peut qu'être frustrant, voir même destructeur.

La puissance de la suggestion

Ce livre veut vous offrir différents moyens de mettre à votre service la puissance de votre subconscient par l'utilisation de la suggestion. Quels que soient les moyens que vous utiliserez, qu'il s'agisse de l'autosuggestion, de la visualisation créatrice, de la détente ou de l'exercice, cela peut devenir le prétexte à un travail de prise de conscience qui vous ouvrira la porte dans votre recherche de nouvelles attitudes et de nouveaux défis.

Le premier de ces moyens est la suggestion (ou l'état hypnotique). Freud l'utilisait à ses débuts et permettait à ses patients de se souvenir ou de prendre conscience de leurs émotions cachées. Elle joue directement sur le subconscient en permettant de lever les barrières qui obstruent la libre circulation de vos émotions positives. L'état d'autohypnose n'est ni un sommeil ni une perte de conscience mais *un état induit de détente et de disponibilité*. Quelqu'un pourrait dire ici que l'on peut faire oublier à un sujet en état d'hypnose certaines choses et donc que l'état hypnotique n'est pas un état conscient. Mais vous-même ne vous arrive-t-il pas de vous souvenir d'un détail dont vous étiez pourtant incapable de vous rappeler la veille? Personne ne vous a pourtant manipulé. Vous ne pouvez être hypnotisé si vous ne le désirez pas. C'est seulement parce que l'on *accepte* cet état que celui-ci peut avoir une emprise sur nous et *jamais* une personne ne fera sous l'emprise de l'hypnose ce qu'elle refuserait de faire dans des conditions normales. *L'état hypnotique est avant tout un état dans lequel nous sommes réceptifs à la suggestion.* C'est pourquoi je parlerai par la suite d'autosuggestion plutôt que d'autohypnose. Quand je parlerai d'état hypnotique cela sera synonyme d'état réceptif.

Le fait de vous mettre en état d'hypnose a d'abord pour but de permettre que s'ancrent profondément en vous les pensées positives dont vous souhaitez qu'elles dirigent votre vie. *Ce que vous pouvez, vous le voulez d'abord.* C'est cette pensée première qu'il vous faut cultiver en vous donnant des objectifs quotidiens que vous renforcerez à l'aide de formules propices telle celle-ci: «Jour après jour je me sens mieux, je sens que je progresse dans tout ce que j'entreprends; de jour en jour je me sens de plus en plus en paix avec moi-même, je nourris cette paix de la force que je découvre au fond de mon être.»

Il est nécessaire de comprendre que la pratique de l'autosuggestion doit et peut vous rendre autonome dans la recherche du bien-être. *Aussi la première condition au succès de ce que vous entreprenez est-elle de croire que vous pouvez le faire.* Nous reviendrons plus loin sur d'autres formules propices au développement de cette confiance en vos moyens, mais celle que je viens de vous donner est la première et la plus importante. *Personne ne le fera à votre place et personne ne pourra vous aider si vous n'y croyez pas profondément.* Combien de personnes se sentent mieux après une visite au médecin, simplement parce qu'elles ont confiance en lui? Combien d'autres ratent une thérapie parce qu'elles n'y sont allées que sous les pressions de la famille? *L'autosuggestion n'est rien d'autre que l'utilisation de la force et de la puissance de votre imagination et de votre subconscient aux fins que vous poursuivez.* Il ne faut pas croire cependant que le succès sera immédiat: aucun des moyens que vous propose cet ouvrage ne peut produire des résultats instantanés. Il faut, au contraire, que les moyens que vous vous donnerez en viennent à faire *partie intégrante de votre quotidien.* C'est seulement ainsi que vous préserverez cette attitude *éveillée* et *disponible* qui permettra aux changements que vous souhaitez de germer et de vous apporter les effets bénéfiques que vous escomptez d'eux.

L'état hypnotique est un état rafraîchissant dans lequel toute personne motivée et bien disposée peut entrer. C'est d'abord et avant tout un état de *relaxation,* qui permet à votre esprit de s'ouvrir à la puissance du subconscient. Ses effets sont, malgré tout, connus et font partie de notre vie quotidienne. Pensez seulement à la publicité qui, par la répétition constante des bienfaits liés à tel ou tel produit, réussit à induire en nous le désir quasi irrésistible d'acheter les produits que nous avons sous les yeux. Nous ne le ferons pas si nous n'en avons pas envie, mais combien de fois succombons-nous au désir tout à fait incontrôlé d'acheter quelque chose, même si notre budget ne nous le permet pas vraiment? Faites-en l'expérience la prochaine fois que vous serez pris par une de ces envies. Résistez et n'achetez pas la marchandise. Je vous assure que, de retour à la maison, vous découvrirez que vous n'avez plus du tout envie de ce produit et que vous ne comprendrez même pas pourquoi il vous semblait aussi impératif de l'acheter. La répétition des motifs publicitaires joue sur le même principe que la répétition d'une formule de vie: elle met notre esprit dans un état de disponibilité et de réponse.

L'attachement amoureux offre un autre exemple du pouvoir de la suggestion. Une personne qui se répète constamment qu'elle ne peut vivre sans le compagnon ou la compagne perdu(e) est en train de se convaincre qu'effectivement la vie est impossible sans l'autre. Dans un de ses romans, l'écrivain américain John Steinbeck raconte l'histoire de cet homme dont la femme est décédée, et qui à chaque année, depuis 20 ans, rassemble autour de lui un groupe d'amis le jour anniversaire de son décès pour prendre un verre en attendant qu'elle rentre à la maison. Avec la complicité de ses amis, cet homme s'est convaincu que sa femme n'était pas morte mais qu'elle n'avait fait que s'absenter un moment. Ceci est un cas peu commun j'en conviens. Mais il y a un autre aspect au sort de cet homme qui, lui, n'est pas si rare: à force d'attendre sa compagne perdue, c'est-à-dire à force de ne pas accepter sa mort (ou son départ s'il s'était agi d'une simple rupture), *il s'empêche de vivre.* Pensez à ce qu'il aurait pu réaliser durant ces 20 années si l'énergie qu'il avait mise à nourrir ses fantaisies (ou son chagrin) avait été utilisée pour son évolution et son accomplissement personnel!

Ce qui trouve son origine dans l'esprit peut aussi trouver sa solution dans l'esprit. Les événements significatifs de notre existence, aussi hasardeux ou accidentels qu'ils puissent paraître, trouvent toujours leur force dans le fait que *notre esprit était prêt et disposé à répondre à cette situation,* pour le meilleur et pour le pire. Une fois imprégné de cet axiome fondamental de la pensée positive, votre esprit vous offrira spontanément les solutions aux problèmes auxquels vous êtes confronté. *Le subconscient peut être la source de tous vos maux, mais la connaissance de soi peut au contraire faire de lui un agent auto-libérateur et même auto-guérisseur. Mettez-le à votre service.*

En résumé

● *Votre personnalité est largement dominée par votre moi profond. En conséquence c'est donc sur lui qu'il faut agir si vous voulez modifier certaines de vos attitudes ou de vos habitudes de vie.*

● *Les problèmes de santé sont souvent d'origine psychosomatique et résultent du stress, de la tension musculaire accumulée ou encore de la tension psychologique liée à l'image que vous avez de vous-même et celle que vous voudriez que les autres aient de vous.*

● *Toute cette énergie peut être détournée à votre profit et vous aider à développer une attitude plus positive. Il suffit de se mettre à l'écoute de soi-même et d'utiliser les techniques appropriées.*

- *La motivation et une approche positive sont les préalables nécessaires et suffisants à l'utilisation de l'autosuggestion pour retrouver ou conserver une attitude de jeunesse — c'est-à-dire de disponibilité et de sérénité — face à vous-même.*

Chapitre III

LES TECHNIQUES
DE L'AUTOSUGGESTION

Il existe plusieurs moyens qui peuvent vous permettre de communiquer avec votre moi profond. La psychanalyse utilise l'association libre comme principale technique, un procédé accessible à tout le monde: il s'agit de vous abandonner au jeu de l'association des pensées dans une situation qui prête à la détente, par exemple en vous allongeant confortablement dans une pièce à l'éclairage tamisé, ce qui facilite le maintien d'un climat de rêverie éveillée. L'écriture automatique est une variante de ce procédé: il s'agit d'écrire, préférablement dans l'obscurité, sans penser à ce que vous écrivez ni vous arrêter pour vous relire. Ainsi les émotions profondes qui vous habitent au moment de l'exercice remontent à la surface et vous pouvez en prendre conscience.

La méthode du pendule

Cette méthode fréquemment utilisée en hypnose, peut vous être utile, comme l'association libre, pour aider à entrer dans un état de détente et de réceptivité. Vous devez être dans une position assise et confortable en appuyant votre coude sur une table et en tenant le pendule d'une manière détendue entre les doigts de la main. Il existe quatre mouvements de base: dans le sens des aiguilles d'une montre ou dans le sens contraire; de gauche à droite, le pendule se balançant devant vous; un mouvement de balancement dans lequel (en ligne droite) le pendule s'approche ou s'éloigne de vous.

Vous pouvez décider à l'avance de la signification de chacun des mouvements du pendule mais la meilleure chose à faire est de demander à votre subconscient, en utilisant une technique de détente (voir plus loin), ce qu'est la signification de chacun (oui, non, etc.). Pour savoir cela faites bouger le pendule dans chacune des quatre directions et laissez-le s'immobiliser (ce préalable a pour but d'encourager la concentration), puis demandez à votre subconscient quel mouvement signifie quoi. Regardez le pendule, en évitant de le faire bouger volontairement, et il devrait bientôt se mettre à osciller. Il peut arriver qu'il ne se mette pas à bouger tout de suite. Pensez alors «oui» en vous le répétant intérieurement à plusieurs reprises. Si cela ne marche toujours pas vous pouvez demander à quelqu'un de poser la question («à quel mouvement correspond la réponse 'oui'?»). Répétez l'opération en demandant quel mouvement correspond à «non» ou «je ne sais pas».

Il ne s'agit pas ici de vous lancer dans la divination mais de vous mettre à l'écoute de votre personnalité profonde. La technique du pendule est un *préalable* (il y en a d'autres comme vous verrez) qui doit vous permettre d'identifier vos priorités, tout en vous familiarisant avec des situations de détente et d'écoute de vous-même. Pour cela vous devez apprendre à échapper à l'emprise de votre volonté ou de votre moi conscient. Quand vous écrivez, par exemple, vous ne vous attachez pas à réfléchir consciemment à chacun des mouvements de vos doigts, pas plus qu'à la signification de chaque mot et à toutes les règles d'accord pertinentes. Cela vous paralyserait. Même phénomène quand vous parlez: vous ne prenez pas le temps alors d'être conscient de chacun des mouvements de votre langue ou de votre pharynx.

Variante sur la technique du pendule

Vous pouvez faire le même genre d'exercice, mais en utilisant vos doigts à la place d'un pendule. Allongez vos bras si vous êtes étendu sur le sol ou posez confortablement vos avant-bras sur les bras d'un fauteuil. Plutôt que le mouvement du pendule c'est celui de vos doigts qui vous fournira une réponse (la main gauche signifie oui ou non, ou alors tel doigt signifie telle chose).

Comme je l'ai dit plus haut, ces techniques n'ont pas pour but de faire de vous un spécialiste de l'hypnotisme. Utilisez ces moyens en les combinant à d'autres (par exemple la visualisation créatrice) afin de parvenir à un état d'éveil et de conscience de vous-même. En ce sens vous pouvez également utiliser l'interprétation de vos rêves en vous demandant quelle est la signification ou le nom de chacun des objets ou des gestes présents dans vos rêves. Vous pouvez aussi faire cet exercice en vous demandant quelles émotions sont associées à ces images. Cela vous révélera vos désirs profonds: je veux ou je ne veux pas, j'ai du chagrin vis-à-vis de tel événement ou de telle personne, ou alors je ressens du bien-être, etc.

31

Comment utiliser ces méthodes

Ces techniques ont pour principale utilité de vous aider à identifier vos objectifs et vos priorités. Pour vous aider dans cette démarche vous pouvez vous constituer à l'avance une liste de questions portant sur différents aspects de votre vie. Par exemple:
- *Ai-je des problèmes de poids?*
- *Ai-je des problèmes d'argent?*
- *Suis-je satisfait(e) de ma vie sexuelle (ou sociale, ou professionnelle)?*
- *Ai-je vraiment du plaisir à fumer ou à boire de l'alcool (est-ce que j'abuse, est-ce que cela me nuit dans mes rapports avec les gens, etc.)?*
- *Suis-je satisfait(e) de mon attitude dans mes rapports avec mes proches (mes amis, ma femme, mon mari, mes enfants)?*

Dans chacun des cas, utilisez un des moyens présentés plus haut afin d'évaluer votre sensibilité à l'une ou l'autre de ces questions.

Quand vous avez identifié votre priorité (ou si vous savez déjà quel est l'aspect de vous-même que vous voudriez changer) vous pouvez passer à l'étape suivante qui consiste à décomposer votre question en sous-questions. Ceci peut se faire en deux étapes. Élaborez d'abord une série de questions qui vous permettent de saisir tous les aspects du problème. Attachez à chacune de ces questions une autre série de sous-questions qui, elles, doivent souligner quelles émotions sont attachées à chacun de ces aspects (n'oubliez pas qu'une «bonne» question n'est jamais rien d'autre qu'une question qui vous révèle à vous-même et qu'une «bonne» réponse est avant tout celle qui vous permettra de développer une nouvelle attitude).

Si, par exemple, vous n'avez jamais assez d'argent pour réaliser vos projets et avez la certitude que c'est en ce moment la chose qui vous préoccupe le plus, vous passez à l'étape de l'élaboration de sous-questions, en utilisant la technique que vous avez choisie pour évaluer la pertinence ou l'importance de celles-ci. Par exemple:
• *Suis-je satisfait(e) de mon travail? Si oui, comment pourrais-je améliorer ma situation? Quelles avenues s'offrent à moi? Si non, quelle est la cause de mon insatisfaction (mes collègues, mon patron, mes tâches, mon salaire)?*
• *Ai-je tendance à dépenser inutilement? Si oui, quelles dépenses sont superflues (voiture, bijoux, vêtements, sorties)?*

Pour chacune de ces sous-questions, n'oubliez pas d'identifier quelles sont vos émotions (quelle importance accordez-vous à votre statut professionnel, à l'argent, aux bijoux, à une vie sociale voyante?). Autre exemple, s'il s'avère que la solitude est votre problème prioritaire:
• *Pourquoi suis-je seul(e) (veuvage, divorce, changement de milieu)?*
• *Selon le cas, est-ce que j'accepte bien ou mal la perte de mon compagnon, de ma compagne ou de mes amis?*
• *Qu'est-ce que je fais pour rencontrer des gens? Est-ce que je garde trop mes distances?*

Prenez le temps qu'il faut pour sentir chacune de vos questions et laissez la réponse (ou votre évaluation personnelle) venir. Il n'est pas nécessaire de vouloir répondre à toutes les questions dans une même séance ou une même journée. Ce que vous devez rechercher c'est le développement d'une nouvelle attitude à partir des réponses qui trouvent un écho dans votre moi profond et qui respectent votre rythme et vos possibilités. Vouloir aller trop vite peut s'avérer frustrant, certes, mais surtout cela peut empêcher une prise de conscience profonde et véritable de vos émotions et de vos désirs. Allez-y doucement, étape par étape. Je voudrais rappeler encore que ces exercices n'ont de sens ou d'utilité que dans un climat de *motivation* et de *détente*. Nous allons consacrer la suite de ce chapitre à ce dernier point.

La détente

Trouvez d'abord un lieu et un moment qui se prêtent à la relaxation: votre lit ou à même le sol s'il est recouvert d'un tapis ou si vous possédez un matelas d'exercice. Il est toujours préférable d'adopter une position allongée et de faire l'exercice dans une lumière tamisée et dans une atmosphère calme. Assurez-vous que vos vêtements ne serrent pas une partie ou l'autre de votre corps (ceinture, soutien-gorge) et enlevez vos chaussures. Respirez profondément mais de manière naturelle: il est inutile de forcer l'inspiration, elle se fait spontanément. Contentez-vous d'expirer en profondeur et laissez votre corps commander l'inspiration. Vous trouverez ainsi un rythme respiratoire calme et complet.

Fermez les yeux et prenez conscience de la détente qui s'installe en vous en récitant intérieurement une formule qui encourage la détente. Soyez attentif au mouvement de votre cage thoracique et concentrez-vous sur votre respiration (ne la forcez pas, contentez-vous de l'étudier en quelque sorte) en disant, par exemple:

• *Au fur et à mesure que je respire, mon corps entier se détend, je me sens devenir parfaitement calme* (prenez une ou deux respirations, sentez le calme et la détente qui s'installent en vous).

• *Je sens maintenant la tension qui se retire de mon dos… mon dos s'enfonce dans le sol et je sens chacune de mes vertèbres en contact avec le sol* (ceci est très important sinon votre dos restera tendu; si vous n'y parvenez pas au début, placez un petit coussin sous vos reins; il est important pour la détente que ce soit le sol et non les muscles de votre dos qui supportent votre corps). Respirez toujours de façon complète en sentant votre dos qui s'étale sur le sol. Prenez votre temps, assurez-vous que la détente s'est bien installée dans votre dos avant de continuer.

• *Je sens la détente monter le long de ma colonne et s'installer dans mon cou et dans la base du crâne; mon cou devient parfaitement chaud et détendu… ma tête devient lourde car les muscles du cou n'absorbent plus son poids, ma tête n'est plus soutenue par mon corps elle est posée sur le sol…*(prenez une ou deux respirations avant de continuer)… *je sens la tension se retirer de mon visage* (faites bouger votre langue et vos mâchoires, clignez des yeux très fort, puis sentez vos muscles faciaux qui se détendent).

Si vos épaules sont habituellement portées vers l'arrière vous devrez leur consacrer votre attention au moment où vous détendez votre colonne. Si, au contraire, elles sont portées vers l'avant vous vous rendrez peut-être compte après la détente du dos et de la tête qu'elles ne sont pas complètement posées à même le sol. En demeurant toujours conscient de votre respiration, consacrez-vous alors à vos épaules et à vos bras. Secouez-les légèrement puis sentez-les devenir mous et chauds.

• *Je sens maintenant que tout le haut de mon corps est parfaitement calme et détendu… je secoue légèrement les mains et les doigts pour m'assurer qu'ils ne sont pas contractés.*

À ce moment de la détente, vous accordez votre attention, encore une fois, sans cesser votre mouvement respiratoire complet, à la partie inférieure de votre corps. Peut-être réaliserez-vous que vos hanches et la région du bassin et de l'abdomen sont encore contractées. Accordez-leur votre attention, tout en vous adressant mentalement à elles comme vous l'avez fait jusqu'à maintenant pour la partie supérieure de votre corps. Passez ensuite aux jambes, en les travaillant une à la fois, partie par partie: les muscles fessiers, les cuisses, les genoux, le mollet, la cheville, le dessous des pieds, les orteils.

Quand vous avez complété cette phase de détente, vous pouvez commencer le travail de suggestion et de prise de conscience. Il n'est pas nécessaire que vous passiez tout de suite à cette deuxième phase. Il peut être bon que vos premières séances soient uniquement consacrées à vous familiariser avec la détente elle-même et à intégrer celle-ci à votre routine quotidienne ou hebdomadaire. Comme je le répéterai encore souvent dans les chapitres subséquents, l'important est de modifier progressivement vos habitudes de vie et d'apprendre à consacrer du temps à la recherche du bien-être et à la prise en charge de votre vie. De cette façon votre quotidien rayonnera plutôt que d'être une somme de contraintes extérieures qui vous poussent à agir de manière compulsive ou qui vous donnent l'impression d'être prisonnier de désirs qui ne sont pas vraiment les vôtres.

Quand vous souhaitez allonger la période de détente, voici quelques formules à répéter:

> ● *Je me sens maintenant parfaitement calme et dispos... aucune peur, aucun souci, aucune tension ne me contractent... je sens mon corps parfaitement libre, il est comme un navire dont les voiles sont baissées et qui flotte au gré des vagues... je suis maintenant dans un état de grand bien-être, je me laisse glisser lentement dans cet état, je m'abandonne à lui... cet état m'apporte un infini bien-être...déjà je vis quelque chose d'inestimable...*

Vous pouvez ajouter toute formule du même type qui vous convient. Vous pouvez également vous faire réciter ces formules par quelqu'un d'autre en qui vous avez confiance ou alors les enregistrer. Vous pouvez aussi vous procurer des cassettes de relaxation, telles: «Le sommeil éveillé», «Détente anti-stress»* et qui vous proposent des formules de ce type sur lesquelles vous trouverez des techniques appropriées à la détente et au sommeil.

Votre attitude est la clé de votre succès

Ne perdez jamais de vue l'importance de l'attitude: si vous vous sentez ridicule et que vous ayez l'impression de perdre votre temps vous le perdrez effectivement. Mais, si

---

* Ces cassettes de détente sont disponibles au Centre de Yoga Colette Maher.

cela vous arrive, ne vous accusez pas inutilement et ne vous dites pas: «je suis bon à rien», «c'est trop difficile», «je n'y arriverai jamais», etc. Au contraire, respectez ce que vous ressentez. Partez de ce sentiment de malaise et intégrez-le à vos formules de détente:

● *Je me sens mal à l'aise mais, au fur et à mesure que je respire, mon corps se détend et je me sens mieux... je sens la tension qui quitte mes membres... la confiance et le bien-être coulent dans mes membres... j'oublie mes soucis, je m'abandonne... je fais ceci pour mon bien... je serai patient avec moi-même...*

Soyez patient, soyez vous-même et tenez compte des émotions qui vous habitent ici et maintenant.

De la relaxation à l'autosuggestion

Commencez ensuite à vous réciter la formule sur laquelle vous voulez travailler. Par exemple, si vous voulez changer votre attitude au travail pour réduire le stress ou trouver davantage de satisfaction dans ce que vous faites, récitez une formule qui s'accorde avec vos priorités:

● *J'aime mon travail, je me plais à faire ce que je fais... il n'y a pas de raison que j'aie peur de l'échec (ou de mon patron),.. quand j'agis de telle ou telle manière, je laisse la peur me gouverner... je prends conscience de cette peur qui m'habite, déjà elle a moins d'emprise sur moi... la prochaine fois j'agirai de telle ou telle façon, etc.*

Complétez cette formule selon vos besoins.

Ou encore si vous vous sentez las ou vieillissant:

- *J'ai l'âge que je choisis d'avoir... je me sens jeune et plein d'énergie... telle ou telle raison pour laquelle je me sens dépassé est sans fondement... déjà je sens qu'elle n'agit plus sur moi... je veux m'abandonner au bien-être de ma vie de tous les jours... la vie est belle et il y a ceci ou cela que je ferai dès aujourd'hui pour prendre un nouveau départ...*

Ou si vous êtes seul(e):

- *Je prends du plaisir à faire ce que je fais, même quand je suis seul(e)... j'apprends de jour en jour à m'aimer davantage... j'ai plein de choses à offrir aux gens que j'approche...*

Ne perdez jamais contact avec votre corps ni avec votre respiration tandis que vous récitez ces formules. Allez-y doucement en jouissant de l'état de bien-être et de relaxation dans lequel vous vous trouvez. C'est seulement ainsi que vos pensées positives s'ancreront en vous et que vous les ressentirez avec beaucoup de force. La régularité est également importante. Une séance quotidienne est recommandée, le soir et le matin sont des moments propices. Le manque de régularité atténue les bienfaits de vos efforts, qui, trop espacés, ont moins de prise sur votre vie quotidienne.

Il arrivera sans doute que votre esprit ait tendance à vagabonder au fur et à mesure que vous vous détendrez. Ne combattez pas cette impulsion. Au contraire, sachez vous abandonner à ces pensées et demandez-vous ce que votre subconscient est en train de vous suggérer (comme nous l'avons vu précédemment à propos de l'imagerie de vos rêves ou de vos associations de pensées). Il n'y a pas de hasard dans la vie de votre esprit. Vos pensées sont les vôtres et derrière leur contenu manifeste elles ont toujours, soit en elles-mêmes, soit par leur association à d'autres pensées, une signification profonde. Vos pensées ont *toujours* un contenu émotif. Profitez de l'état de réceptivité dans lequel vous vous trouvez pour vous sensibiliser à cette dimension de votre personnalité.

Si vous êtes en train de développer une nouvelle attitude et que votre esprit vous amène ailleurs, sans doute essaie-t-il de vous suggérer la source de votre problème ou la voie à suivre pour le régler. Intégrez alors le résultat de cette introspection à votre travail de suggestion. Si, par exemple, votre problème en est un de solitude ou d'excès de poids, peut-être cet intermède vous fera-t-il prendre conscience de votre peur des autres ou de la nature compensatoire de telle ou telle nourriture que vous ne pouvez vous empêcher de consommer de manière incontrôlée. Faites passer cette découverte dans vos formules:

• *J'ai peur des autres pour telle ou telle raison... je prends maintenant conscience de cette difficulté et déjà je sens que cela a moins de prise sur moi... je découvre le bien-être que l'amitié ou l'amour peut m'apporter... je prends aussi conscience que je suis une personne riche qui a beaucoup à apporter aux autres... je souhaite leur compagnie et ils apprécient la mienne...*

• *Je consomme cette nourriture pour telle ou telle raison... je n'ai pas vraiment faim... de jour en jour je sens que je me respecte davantage et que j'aime mon corps... je ne mange plus inutilement... je suis à l'écoute de moi-même et je respecte mon corps... à chaque fois que je garde le contrôle de mes caprices, j'acquiers une plus*

grande confiance en moi et je me sens mieux... j'aime
beaucoup plus ce sentiment de bien-être que sentir mon
estomac plein, mon corps lourd et mon esprit dépressif.

À ce moment vous pouvez vous arrêter et *sentir* ces mauvaises émotions. Il ne faut pas les fuir, mais il ne faut pas non plus s'y complaire: *il faut les dépasser* et les remplacer par une énergie positive. Sentez votre lourdeur ou votre chagrin, prenez conscience de la place qu'ils ont trop longtemps occupée dans votre vie psychique, puis en utilisant, par exemple, la technique de la visualisation (sur laquelle je reviens dans un autre chapitre), enfermez ce chagrin ou cette mauvaise émotion dans une bulle et regardez-les s'éloigner de vous pour ne plus jamais revenir. Reprenez ensuite conscience de votre respiration et de votre corps, sentez le bien-être et la légèreté qui ont pris la place de cette lourdeur.

Vous devez penser positivement

Vos pensées ne doivent pas être négatives ou auto-punitives. Sachez vous sensibiliser à l'aspect positif de vos peurs ou de vos désirs. Si vous avez peur de décevoir votre partenaire sexuel ne vous complaisez pas dans cette peur, ne vous dites pas «je ne le (la) satisfais pas, je ne fais pas bien l'amour», mais pensez plutôt au désir que vous avez de faire l'amour avec lui ou elle: *«J'aime faire l'amour avec X, il trouve que j'ai la peau douce, il aime être avec moi... ce n'est pas de lui que j'ai peur mais de mes émotions... je m'abandonne au plaisir, etc.».* Soyez sensible aux aspects positifs de votre relation avec votre partenaire, privilégiez les émotions qui vous donnent confiance en vous-même et en l'autre.

Il est essentiel que vous appreniez à vous abandonner à ces suggestions positives, car c'est ainsi seulement qu'elles deviendront la matière de votre vie et de vos pensées quotidiennes.

Comment vérifier si vous êtes bien en état d'autosuggestion

Pour vérifier si vous avez atteint l'état d'autosuggestion, vous pouvez utiliser la technique des paupières closes: quand votre période de détente vous semble complète, fixez un point devant vous en vous disant: «Je vais compter jusqu'à dix et mes paupières se fermeront d'elles-mêmes.» Si vous éprouvez quelque difficulté avec ce test, allez-y doucement en renforçant la suggestion:

● *J'ai atteint un état de détente et de réceptivité suffisant… je vais maintenant compter lentement jusqu'à dix et mes paupières se fermeront doucement…*

L'important est de conserver en vous le sentiment que vous êtes en état de recevoir les suggestions de votre subconscient et de lui faire accepter vos nouvelles pensées:

● *Un… mes yeux deviennent lourds… deux… je ressens l'envie irrésistible de fermer les yeux… trois… mes paupières sont de plomb… quatre… il m'est impossible de garder les yeux ouverts… cinq… mes paupières se ferment doucement… six… je suis parfaitement calme et détendu, je me sens glisser dans un état d'abandon profond… sept… mes yeux s'alourdissent… huit… je suis en état d'autosuggestion… neuf… je vais maintenant me libérer de mes pensées négatives… dix… etc . . .*

Les formules en elles-mêmes ne sont pas importantes. Ce qui compte, c'est la forme de votre démarche. Vous pouvez varier à l'infini dans cette technique en remplaçant les paupières par la déglutition («je suis maintenant incapable d'avaler») ou le mouvement («j'essaie de lever ma main droite et je n'en suis pas capable»).

Peut-être, avant de vous lancer dans votre travail de suggestion, pourriez-vous simplement mettre à l'épreuve ces simples techniques; qu'il s'agisse du pendule, de l'écriture automatique ou de l'association libre (dont le but premier, dans les trois cas, est de vous aider à prendre conscience de vos priorités plutôt que d'agir sur elles), ou encore des techniques de détente et d'abandon qui vous mettent dans un état propice. Cela peut servir deux fins: d'abord elles sont un jeu, une mise en train en quelque sorte, et elles vous aideront à prendre l'habitude d'être sensible à vos émotions en plus de vous aider à prendre conscience de votre corps; ensuite vous pourrez, au fil de cette période d'exploration, découvrir quelles techniques vous conviennent le mieux pour que votre travail d'autosuggestion soit plus profitable. Vous serez sans doute surpris de la facilité avec laquelle vous répondrez à l'une ou l'autre de ces techniques.

Comment interrompre l'état d'autosuggestion

En douceur. Ne brusquez rien. Votre santé n'est pas en cause ici mais simplement votre bien-être. Vous risqueriez de perdre le sentiment de bien-être et de confort que vous avez acquis durant votre séance en l'interrompant brutalement. Respecter ses émotions veut aussi dire les nourrir et les protéger: rien de mieux pour cela que le calme et la patience.

Si, pour entrer en état d'autosuggestion, vous avez utilisé la technique des paupières closes vous faites le même exercice qu'au départ mais en inversant votre parcours:

• *Je vais compter jusqu'à dix et mes paupières s'ouvriront doucement… je reprends progressivement le contrôle de mes membres, je les sens qui s'éveillent, tout mon corps sort enrichi de cet état de détente…*

Récitez une formule du genre sans jamais, encore une fois, perdre contact avec votre rythme respiratoire. Laissez-vous revenir doucement à un état de veille normal et relevez-vous seulement quand vous vous sentez prêt. Peut-être avez-vous retenu au passage l'image du bateau bercé par les vagues et décidé de l'utiliser à la place des exercices du type de celui des paupières. Pour entrer en état de détente vous vous êtes alors dit que votre corps était un navire qui s'éloignait de la terre ferme (votre quotidien ou vos soucis) et que vous faisiez un voyage sur mer à moins que vous ne vous soyez dirigé vers une île déserte qui ne recelait pour vous que du bien-être. Pour revenir, cela devient alors encore plus simple: vous n'avez qu'à remonter dans le bateau en le guidant vers votre point de départ. Dites-vous alors que vous ne revenez pas vers la misère que vous avez quittée sans que rien ne soit changé. Soyez au contraire conscient que vous revenez avec une part de cette île ou de ce voyage en vous, ce qui enrichira le monde familier que vous retrouvez.

L'autosuggestion est aussi autoguérison

C'est quand vous êtes dans un état d'autosuggestion que peut se faire avec le plus de facilité un travail d'analyse personnelle, de prise de conscience et d'autoguérison (si vous souffrez d'un problème clairement psychosomatique ou d'une habitude de vie nocive pour la santé, comme l'alcoolisme).

C'est dans ce travail d'autoanalyse que se développe votre thérapie personnelle: quand le problème vous apparaît clairement dans toutes ses ramifications, vous pouvez commencer à énoncer les contre-suggestions qui vous aideront à corriger la situation. C'est à ce moment du processus que certaines personnes pourraient se laisser aller à un certain découragement, quand le problème leur apparaît dans toute sa clarté. Comme je l'ai suggéré plus haut, ne vous détournez pas de ces pensées mais ne vous y abandonnez pas non plus: elles ne font que vous indiquer un aspect supplémentaire du problème et vous font ressentir à quel point certaines attitudes de pensée négatives sont profondément ancrées en nous. Que cela soit pour vous, à ce moment, une source de motivation et de patience: on ne refait pas une vie en quelques minutes. Prenez dans ces pensées la force de vouloir les dépasser et les remplacer par de nouvelles. Quand vous sentez toute l'énergie que vous mettez à nourrir et à entretenir de mauvaises habitudes de vie, au lieu de laisser cette énergie vous abattre, utilisez-la, détournez-la à vos propres fins, de sorte qu'elle nourrisse maintenant votre détermination. *Développez une nouvelle approche de vous-même.* Canalisez cette énergie en vous aidant des formules que vous aurez retenues («je sens que mon corps est plein de vie et d'énergie positive… à chaque instant je sens que je vais de mieux en mieux… chaque pensée positive est une victoire sur mes mauvaises habitudes…»). Il n'y a pas de solution miracle aux problèmes de l'existence mais vous serez surpris de la force et de la puissance que peuvent générer la croyance et la confiance en soi.

45

Points à retenir:

• *Plusieurs méthodes peuvent vous permettre d'entrer en contact avec votre moi profond: l'association libre ou l'écriture automatique, la méthode du pendule et ses variantes. Ces méthodes ne sont pas des fins en soi mais des «préalables» qui peuvent vous aider à préparer le terrain pour votre travail d'autosuggestion et d'autoguérison. Utilisez ces méthodes en combinaison avec un questionnaire afin d'établir vos priorités.*

• *La détente précède et prolonge ces exercices préalables; c'est elle également qui vous rendra réceptif aux suggestions que vous chercherez à intérioriser en permettant à celles-ci de s'inscrire profondément en vous.*

• *Votre attitude est la clé de votre succès: la motivation et la confiance en soi sont essentielles à votre réussite.*

• *N'essayez pas de brûler les étapes, vous risqueriez de vous décourager; soyez patient et lucide. De plus, il faut que vous soyez conscient de l'importance de la constance et de la régularité dans votre travail de détente et de suggestion.*

Il est bon de rappeler, en terminant, qu'il est préférable de s'assurer que votre problème (par exemple de poids ou de santé, avant de changer votre régime alimentaire ou vos habitudes de vie) ne requiert pas les conseils d'un médecin. Cependant, même si vos premières tentatives vous convainquent que vous avez besoin d'un médecin ou d'un support psycho-thérapeutique, n'oubliez jamais que personne ne peut le faire à votre place. La volonté de guérir ou de changer ne peut être que la vôtre. La pratique de la détente et de l'autosuggestion vous aidera également à mieux utiliser votre temps et votre énergie, en vous rendant conscient de vos désirs et de vos priorités, à accroître votre capacité de concentration et votre persévérance devant l'adversité.

Chapitre IV

LA VISUALISATION CRÉATRICE

La technique de la visualisation créatrice complète les exercices d'autosuggestion présentés au chapitre précédent. Elle peut précéder ceux-ci et s'intégrer à la période de détente préalable ou encore — à vous de choisir ce qui vous convient le mieux — elle peut suivre votre travail d'autosuggestion en vous permettant de visualiser la situation que vous voulez corriger. Cette technique peut également être utilisée pour elle-même simplement pour le bénéfice de la détente et de la confiance qu'elle peut vous apporter.

Le principe de base de la visualisation créatrice est que nous attirons sur nous ce que nous désirons (souvent inconsciemment, ce qui explique la parenté de cette technique avec l'autosuggestion et la prise de conscience du subconscient). Si nous sommes enclin et disposé au bonheur et à la réussite, cela risque de venir vers nous beaucoup plus facilement que si nous entretenons de nous-même une image pessimiste et défaitiste. De même il nous est beaucoup plus facile d'affronter l'adversité et de surmonter nos difficultés si nous croyons en notre capacité d'évoluer et de nous renouveler en étant réceptif à ce que la vie nous offre et à ce que nous attendons vraiment d'elle. En ce sens, la visualisation créatrice est une technique d'éveil mais aussi une technique d'incitation à la pensée positive.

Abandonnez-vous à votre imagination

L'image mentale est le langage du subconscient. Ce dernier est toujours en activité. Même pendant le sommeil, il vous envoie des messages sous forme de rêves (images). Les images mentales que vous produisez constituent un excellent moyen de suggérer avec force à votre subconscient les correctifs que vous voudriez apporter à votre comportement. Comme nous l'avons vu au chapitre précédent, il convient d'abord que vous vous installiez dans un endroit calme et confortable. Il faut cependant dire que, une fois que vous serez familier avec la visualisation, vous pourrez la pratiquer en n'importe quel endroit et à n'importe quel moment, que ce soit dans un fauteuil confortable, dans l'autobus en rentrant du travail, en faisant votre promenade quotidienne, etc. Au départ cependant il serait préférable que vous adoptiez la position couchée, afin de vous familiariser avec votre respiration et d'apprendre à avoir un bon rythme respiratoire. La position allongée s'y prête mieux.

Les premières fois, contentez-vous de cet exercice simple: étendez-vous, prenez conscience de votre rythme respiratoire (comme nous l'avons vu), et quand vous vous sentez suffisamment détendu, tentez de visualiser une situation que vous voudriez vivre. Pour bien faire, assurez-vous que vous y allez doucement. Un bon truc pour ralentir vos pensées serait d'accorder les gestes que vous visualisez au rythme de votre respiration: à chaque mouvement inspiratoire et expiratoire ne doit correspondre au plus qu'une seule image; vous pouvez même prendre le temps de savourer chaque image longuement.

Par exemple, vous vous imaginez sur une plage ensoleillée au bord de la mer:

● *Je suis dans une petite île… je suis étendu(e) sur une plage… je sens le sable sous mon corps… je sens la chaleur du sable, sa douceur, je bouge mes pieds et mes mains dans cette chaleur et cette douceur…*

● *J'entends le bruit de la mer… mes yeux sont fermés et je me laisse bercer par le bruit des vagues qui glissent doucement près de l'endroit où je suis étendu(e)…*

● *J'entends maintenant les oiseaux qui volent au-dessus de moi en même temps que j'entends et que je sens le contact du vent sur ma peau… j'ouvre lentement les yeux et je regarde les oiseaux voler… je regarde les nuages que le vent pousse doucement… le ciel bleu est accueillant…*

Vous pouvez ainsi poursuivre tant que vous en avez envie et faire le tour de l'île. Il est possible que vous ne soyez pas seul(e) dans cette île, que vous soyez accompagné(e) ou que vous rencontriez quelqu'un qui vous est cher. Peut-être aussi avez-vous eu l'excellente idée d'intégrer à votre visualisation le voyage jusqu'à cette île à bord d'un navire, question de bien sentir le mouvement de la mer et celui de votre respiration?

51

Un bon exercice pour vous familiariser avec cette technique est celui dit de «l'arbre». Quand vous avez atteint un état de détente satisfaisant, ou même pour vous y aider, imaginez que vous êtes un arbre:

● *Je suis immobile… je respire profondément et je sens l'air qui circule en moi… l'air est ma sève… je me sens vivant(e) et plein(e) de vitalité… je sens cette sève qui fortifie mes membres… mes jambes s'étendent et se détendent… mes pieds sont des racines qui s'enfoncent profondément dans le sol… je me sens solide et sécure… je respire, mon tronc se gonfle et je sens que j'éclate de force… cette énergie se répand dans mes bras qui sont les branches de cet arbre que je suis… je sens le vent qui se glisse en elles et agite mes feuilles… tout le haut de mon corps est la ramure verdoyante de cet arbre…*

L'imagination et la suggestion se complètent

Quand vous vous sentez capable de vous abandonner à ces exercices (ou à d'autres que vous inventez), vous pouvez leur ajouter une dimension supplémentaire, celle de la suggestion. Il s'agit simplement, à chaque étape de votre «voyage», d'intégrer une formule positive afin de vous convaincre que le bien-être que vous ressentez peut devenir partie intégrante de votre vie quotidienne et ne plus vous quitter, facilitant ainsi la réalisation de vos projets. Si nous reprenons l'exemple de la plage, les formules pourraient être du genre:

● *Ce sentiment de bien-être que j'éprouve à sentir le contact du soleil et du vent sera désormais avec moi… je sens que ce bien-être ne vient pas de ce soleil mais du fond de mon coeur… ce bien-être naît et rayonne en moi et de moi… cette île, cette plage se nourrissent de mon énergie…*

● *Je suis dans cette île avec X… je me sens bien… je sens que je peux lui apporter beaucoup de bien-être… cette rencontre est possible… je m'ouvre à l'énergie que je sens en moi et que je laisse rayonner vers X…*

Il convient d'éviter durant vos exercices de visualisation les pensées négatives qui ne feraient qu'affaiblir le bénéfice que vous pouvez en tirer. Si vous vous dites: «*Ça ne se peut pas*», «*ça ne marchera jamais*», «*je me sens ridicule*», vous risquez effectivement d'en rester là. Ne vous privez pas de ce que ce moment d'intimité avec vous-même peut vous apporter. Les pensées et les fantasmes qui vous viennent sont les vôtres: ils reflètent vos aspirations profondes et vous devez croire en leur réalité. Parsemez vos séances de formules positives qui fortifieront votre confiance en vos possibilités:

● *Je me sens plein(e) d'énergie… je sais que je peux réaliser ce projet, parvenir à cet objectif… je crois en moi… j'ai une nouvelle attitude… je ne laisse pas le découragement avoir prise sur moi… etc.*

Cet exercice doit vous donner l'habitude de vous imaginer dans des situations gratifiantes, vous devez vous représenter en train de poser des gestes qui soient valorisants pour vous. C'est ainsi que vous entretiendrez en vous la jeunesse: par la confiance et la détermination, par une croyance ferme en vos possibilités.

Vos pensées seront alors tournées vers ce qui, dans votre vie, vous nourrit et vous stimule, plutôt que d'être dans de pénibles ruminations qui vous laissent un sentiment d'échec et d'impuissance. Ce sont ces pensées vives qui créeront pour vous de nouvelles situations, tant il est vrai qu'un être abattu et peu confiant finit toujours par fuir, sans même s'en rendre compte, les occasions de s'affirmer et de se réaliser.

Prenez garde cependant de ne pas forcer la note inutilement: rien ne sert de prolonger vos séances de visualisation si vous ressentez inconfort et ennui, soit au début, soit après quelques minutes. Il n'y a pas de durée fixe et il faut aussi vous laisser le temps d'apprivoiser ce nouvel aspect de votre vie. Que cela dure cinq ou trente minutes importe peu, que vous en soyez à vos débuts ou pas; c'est à vous de déterminer le moment où il convient de mettre un terme à l'exercice. Un rappel cependant, qui pourra vous éviter un peu d'inconfort: n'oubliez pas, comme je l'ai souligné au chapitre précédent, que votre dos doit être droit lorsque vous faites l'exercice au sol, et que chacune de vos vertèbres doit être en contact avec le sol. Le contraire indique que les muscles de votre dos ou de votre région abdominale sont contractés, ce qui empêche une respiration vraiment détendue et nuit à la libre circulation de votre énergie psychique. Ici encore vous pouvez vous aider en plaçant un petit coussin sous vos reins. Nous verrons plus loin des exemples d'exercices qui peuvent vous aider à détendre ces régions du corps.

Comment construire vos scénarios

Le terme «visualisation» peut prêter à malentendu lorsqu'on le met en rapport avec l'utilisation de formules verbales. Peut-être découvrirez-vous que, dans votre cas, les images l'emportent sur les mots et vous serez plus à l'aise si vous vous contentez de «sentir» les émotions associées à ces images sans ressentir le besoin de les verbaliser. Ou peut-être le contraire se produira-t-il: votre esprit glissera facilement dans des formules dont vous percevrez très fortement la charge émotive, mais sans qu'aucune image visuelle ne se présente à vous. L'important, comme vous l'avez sans doute deviné, n'est ni l'image ni le mot, mais l'émotion, qu'il s'agisse de celle qui vous vient durant l'exercice ou encore de celle que vous voulez renforcer par la visualisation.

L'émotion occupe une place qu'on ne soupçonne pas assez dans notre existence: toutes les attitudes que nous adoptons, qu'il s'agisse de façons particulières de s'exprimer ou d'une posture physique, ou encore d'une façon d'être avec les autres et d'entrer en relation avec eux, *toute attitude est la transcription d'une émotion*. Ces émotions ne sont pas toujours positives et ne sont pas toujours perceptibles non plus: elles s'inscrivent sur notre corps et se cachent derrière la tension musculaire qu'elles nourrissent. Dans vos exercices de visualisation, examinez comment vous vous comportez spontanément avec les personnes ou dans les situations qui se présentent à vous et demandez-vous quelle émotion vos gestes et vos réactions traduisent. Lisez votre comportement comme s'il s'agissait d'une partition musicale ou une mise en scène. Votre comportement n'est rien d'autre qu'une façon d'agencer et de contrôler vos émotions. L'exercice de visualisation doit vous aider à prendre conscience de ces «patterns». Quand vous les discernez, prenez le temps de «revoir» la scène encore en essayant d'imaginer quelle autre attitude vous pourriez adopter, attitude qui permettrait à vos émotions de s'exprimer plus librement. On ne peut pas changer radicalement de personnalité mais on peut changer radicalement d'attitude en prenant conscience de nos émotions et en essayant de filtrer les bonnes émotions, les émotions positives, pour les laisser passer, tout en détournant les émotions négatives, pas pour les cacher, mais, au contraire, pour tenter de les comprendre et de rendre plus constructives les énergies qu'elles vous réclament.

Imaginez, par exemple, quelqu'un de très sensible à la critique, qui, lorsqu'on lui fait des reproches, baisse la tête et les accepte, se disant intérieurement qu'il n'est bon à rien, ou alors se sentant coupable d'avoir déplu à cette personne qui lui adresse une remarque. Il peut arriver que la remarque en question soit parfaitement anodine et ne justifie pas que la personne en soit affectée. Il peut arriver aussi que X ait vraiment fait quelque chose qui a déplu et qui a provoqué une ou plusieurs remarques. Prenons le premier cas: je suis avec une personne que j'estime et nous avons prévu de passer la soirée ensemble. Je propose que nous allions voir un film mais en arrivant à la salle de cinéma nous constatons qu'il n'y a plus de place. Mon ami(e) me dit alors quelque chose du genre: «Quelle idée aussi de venir voir ce film!» Peu importe ici qu'il(elle) soit beaucoup ou simplement un peu vexé(e). Je réagis en me défendant, en me justifiant, je me sens mal à l'aise, j'ai l'impression que notre soirée est gâchée.

Je dois alors me concentrer dans mon exercice de visualisation sur le moment où nous arrivons au cinéma et où la déconvenue que je subis me rend dépressif (ma bonne humeur s'effondre, je n'espère plus rien de la soirée, je me sens incompétent). Je prends conscience de ce moment où je suis envahi par toutes ces émotions négatives, je vois comment, à la lettre où de manière figurée, je penche la tête pour accepter le blâme comme s'il allait de soi. Je rejoue alors la scène mais, cette fois, en corrigeant le scénario:

● *Il n'y a pas de place au cinéma, mais je ne laisse pas cela m'affecter... je désire avant tout passer un bon moment avec X... il y a autre chose que nous pouvons faire... X fait une remarque montrant qu'il (elle) est vexé(e)... cela n'est pas grave, je comprends que nous avions envie de voir ce film, mais je lui fais remarquer que l'important est que nous soyons ensemble... alors nous marchons doucement sur la rue jusqu'à ce que nous trouvions un endroit plaisant...*

Prenons l'autre possibilité maintenant. Examinons le cas où je fais quelque chose qui déplaît à X, ou que X fait quelque chose qui me déplaît: par exemple je suis en retard, ou X est en retard. Si c'est moi qui ai tort, plutôt que de me culpabiliser et de compromettre mes relations avec X, je fais un effort spécial pour corriger cette habitude que j'ai de manquer de ponctualité et la prochaine fois que je vois X je le (la) remercie de m'avoir incité à corriger ce défaut. La visualisation peut m'aider ici à corriger cette mauvaise habitude (par exemple, je visualise à l'avance mes préparatifs pour arriver à tout faire en temps). De plus, en remerciant X j'empêche que ne demeure entre nous le souvenir de ce moment déplaisant qui pourrait entraîner un peu de tension dans nos rapports subséquents. Si c'est X qui est toujours en retard, la visualisation peut m'aider à exprimer ma colère et à corriger la situation ou encore à dédramatiser ma colère si vraiment cela n'est, dans le fond, rien de plus qu'agaçant. Il est parfois tout aussi important de pardonner aux autres et de les accepter tels qu'ils sont si nous tenons à eux, que de se pardonner à soi-même et de s'accepter. Pour reprendre l'image que j'utilisais plus haut, votre comportement est une partition musicale: apprenez vos rythmes et vos penchants, vos points faibles et vos points forts et, avec la patience et la persévérance, il sortira bientôt de vous une musique qui vous plaira, dont vous serez à la fois le compositeur et l'exécutant.

Pour revenir sur la question du type de scénarios qui se présenteront à vous ou que vous construirez, vous avez également le choix d'adopter (ou de refuser d'adopter) dans ceux-ci un rôle actif ou passif. Vous pouvez choisir de laisser venir à vous les images que vous suggère votre subconscient ou de suivre celui-ci une fois que vous avez déterminé les grandes lignes de votre scénario. Cela peut vous être tout aussi profitable à certains moments que d'intervenir dans ce que vous visualisez pour le corriger. Lorsque, par contre, vous souhaitez intervenir il faut que vous vous donniez au préalable une image claire de ce que vous recherchez afin de mieux vous concentrer sur l'aspect sur lequel vous voulez travailler.

Deuxième partie

LES APPLICATIONS

Chapitre V

AUTOSUGGESTION ET AUTOGUÉRISON

Dans cette deuxième partie, j'aborderai l'examen de problèmes spécifiques liés au vieillissement. Si vous vous êtes rendu jusqu'ici dans la lecture de ce livre je n'ai sans doute pas besoin d'insister plus qu'il ne le faut sur le postulat qui lui sert d'assises: *avant d'être physique, le vieillissement est psychologique et social.* Des habitudes de vie saines, une bonne alimentation, un corps bien entretenu, la disponibilité nécessaire à l'écoute et à la réalisation de soi, autant de facteurs qui font de votre maturité un âge d'or authentique plutôt qu'une période de déchéance.

Les premiers chapitres de ce livre vous indiquent quels *moyens* sont à votre disposition pour préserver la jeunesse de votre corps et de votre esprit. Maintenant, j'aimerais vous indiquer comment ces moyens peuvent être mis à profit pour affronter et surmonter des difficultés précises, celles que nous rencontrons tous inévitablement, à divers degrés, sur notre route vers la maturité et la sérénité. Le présent chapitre est donc consacré à cette discussion. Aucun de ces problèmes ne me semble plus, ou moins, grave que les autres. Chacun a *un* problème qui le mine en particulier et les autres ne font souvent qu'en découler, jusqu'à ce qu'on ne puisse plus démêler l'oeuf de la poule. Vous devez les examiner sans rien vous cacher de vos petites vérités, afin de bien comprendre ce qui, chez vous, prend une place importante. C'est par là qu'il vous faudra commencer. Ce que je veux dire n'est pas compliqué: je ne fais que reprendre les remarques de la première partie. Vos efforts risquent d'être réduits à néant, et vos mauvaises habitudes de reprendre le dessus, si vous ne faites pas l'effort de comprendre votre rapport à vous-même, les émotions qui nourrissent l'image que vous avez de vous. La motivation est l'élément moteur de votre prise en charge, et la motivation se nourrit de lucidité et d'honnêteté envers soi-même.

La crise de la maturité

La période de maturité est celle qui va, en gros, de 40 à 65 ans. La crise de maturité toutefois concerne la transition, le moment où l'on passe d'une étape de la vie à une autre dans laquelle nous découvrons que nos objectifs et nos priorités, nos espoirs et nos craintes ne sont plus les mêmes. Cette période peut être bien vécue et constituer une authentique transition, comme elle peut être le début d'une longue dépression qui échappera bientôt à tout contrôle et que l'on appellera, le plus souvent, le vieillissement.

Cette période de crise peut être déclenchée par différents facteurs et tourner autour de divers aspects de notre existence. Pour un homme et une femme qui se sont consacrés à leur famille et à leur réussite sociale, le mo-

62

ment où les enfants se mettent à voler de leurs propres ailes peut constituer un moment intense de remise en question, car ils perdent ainsi l'objectif qui soustendait leur vie quotidienne et qui lui donnait son sens. Il peut arriver que la crise soit déclenchée par la perte d'un emploi que l'on croyait assuré ou par un changement de carrière, par un divorce, la mort d'un proche. Chez les femmes, la ménopause peut être l'occasion de cette crise, comme chez l'homme l'andropause, qui vient cependant plus tardivement.

Quoi qu'il en soit des causes, le déroulement de la crise est souvent le même. L'homme, ou la femme, entre dans une période de panique ou de mélancolie qui met fortement en cause son identité et son image personnelle. Il ou elle sent viscéralement que la vie n'est pas éternelle et se pose ainsi, indirectement, maladroitement ou lucidement la question vitale: comment vieillir? Certaines personnes trouvent réponse à cette question, d'autres la considèrent comme un aveu d'échec qui marque le début de la fin. Il n'est pas étonnant de constater que le taux de mortalité soit, toutes proportions gardées, assez élevé pour ce groupe d'âge, surtout chez les hommes. En Amérique du Nord, où la nécessité de la réussite est intimement liée à l'idée que les gens se font de la vie, le taux de mortalité y est plus élevé qu'en Europe.

Cette crise d'identité prend diverses formes: la femme qui vit sa ménopause verra son corps se modifier et elle pourra en être angoissée sexuellement et socialement. Elle se sentira rejetée, insécure ou irritable. Elle aura parfois tendance à s'isoler. Tous ces symptômes sont des signes de vieillissement social: la personne perd confiance en elle-même et s'isole progressivement. Il est d'ailleurs reconnu que la ménopause est vécue beaucoup plus facilement par les femmes actives, qui ont moins tendance à se définir sur la base de leur statut sexuel (épouse ou mère) et traversent plus facilement cette crise d'identité.

Chez les hommes, l'andropause est certes moins brutale. Cette expression désigne la diminution progressive, mais rarement complète, de la production de testostérone chez l'homme. L'homme vivra très lentement une diminution — habituellement à partir de l'âge de 50 ans — de sa vitalité sexuelle. Il pourra en concevoir un sentiment d'échec ou d'incompétence devant sa partenaire qui ne fera que compliquer les choses.

La crise peut aussi prendre la forme d'un grand dépit devant la vie. On trouve soudainement futile tout ce pourquoi on a lutté et travaillé durant des années et on en conçoit une grande amertume (par exemple, la poursuite de l'argent). C'est souvent dans un tel contexte qu'un homme ou une femme deviendra alcoolique. Certaines statistiques indiquent que la quarantaine est l'âge de prédilection pour l'alcoolisme. Bien que les spécialistes avouent ne pas comprendre clairement les causes de l'alcoolisme il est évident qu'il est lié à des facteurs psychologiques tels le sentiment d'incapacité, le désir de fuir la réalité, d'endormir ses émotions, la peur de l'autre, etc. Toute thérapie visant à corriger l'alcoolisme intervient d'ailleurs sur cet ensemble de facteurs car, quelles que soient ses causes ultimes, il est clair que l'alcoolisme est une forme de suicide social. La vie de famille en souffre, la vie professionnelle également, la personne atteinte fuit ses responsabilités, sa santé se détériore rapidement.

Ce qu'il faut faire

Que faire devant cette crise lorsqu'elle se produit? Demeurer actif, être à l'écoute de soi-même et lucide, honnête et franc avec son entourage. Dans ces trois cas l'autosuggestion peut être utile en aidant à établir ses priorités et à définir de nouveaux buts.

Utilisez les différentes techniques que nous avons vues dans la première partie: notez vos désirs et vos déceptions dans un cahier, dressez une liste des différentes composantes de votre vie et identifiez vos priorités, établissez les traits de caractère que vous valorisez particulièrement chez vous et que vous voudriez préserver. Faites ensuite des séances d'autosuggestion et de visualisation en vous imprégnant de l'idée que votre but premier est de mettre en valeur les aspects positifs de ce que vous vivez et d'éliminer les pensées négatives. Ne pensez pas au passé, laissez-le à lui-même, et concentrez-vous sur le *présent*, sur ce que vous vivez *maintenant, aujourd'hui*.

Par exemple, si vous vivez un changement de profession ou si votre vie familiale subit des transformations du fait que les enfants sont maintenant autonomes, *pensez à ce qui s'ouvre devant vous*. Intégrez à vos séances des formules du genre:

• *J'ai accompli ce que je voulais (ou devais) réaliser (à mon travail, pour ma famille)… je réalise que ce qui m'arrive est une chance unique de me découvrir moi-même, de réaliser le potentiel que je sens en moi et que je peux maintenant utiliser pleinement… je commence maintenant une nouvelle vie, au jour le jour, j'ai en moi le désir de réaliser à chaque jour quelque chose qui rendra ma vie riche et gratifiante (intégrez ici ce que vous avez inscrit dans votre cahier de désirs).*

Si vous éprouvez de la difficulté à vous réconcilier avec la perte de vos espoirs financiers ou professionnels, il est deux types d'attitudes, complémentaires, cependant, que vous pouvez adopter, selon aussi l'origine de votre difficile rapport à l'argent. Peut-être en avez-vous et trouvez-vous que cela ne vous a avancé à rien, comme il est possible que vous n'en ayez pas et que vous découvriez que cela ne vous importe pas vraiment. Dans ces deux cas il s'agit de mettre en valeur d'autres aspects de votre vie en redéfinissant vos priorités.

Il peut arriver aussi, c'est l'autre possibilité, que vous vous rendiez compte que vous n'êtes pas dans une situation financière avantageuse parce que, dans le fond, vous avez peur de l'argent, que vous n'avez jamais vraiment cherché à vous enrichir, ou encore que vous n'avez jamais su faire profiter l'argent que vous aviez et que vous avez dilapidé. Réaliser ceci peut parfois être suffisant pour modifier votre rapport à l'argent et amener à vous la richesse qui vous a toujours fui. Il peut également arriver que l'argent n'ait jamais été un problème pour vous mais que vous vous rendiez compte sur le tard que c'est là une priorité qui s'impose à vous. Là aussi le changement d'attitude peut suffire à créer des situations qui vous permettront d'améliorer votre situation. Il est toujours utile dans ces cas d'établir d'une manière réaliste quelles sont vos qualités ou vos aptitudes que vous pourriez mettre en valeur pour créer ces occasions et en profiter. Ne faites pas l'erreur cependant de vous lancer dans une poursuite folle de l'argent qui ne ferait que vous éloigner de vous-même: en soi l'argent n'est pas important. Il ne l'est que s'il est mis en rapport avec d'autres buts, qui vous apparaissent gratifiants et qui vous permettent de vous accomplir.

Il faut avoir des objectifs clairs

Comme je le soulignais plus haut, une liste écrite de vos objectifs ne peut que favoriser une meilleure concentration, surtout si vous décomposez ceux-ci en objectifs quotidiens, ce qui contribuera grandement à donner une direction à votre vie, à l'orienter dans le sens de votre réalisation personnelle. Il existe plusieurs autres moyens par lesquels vous pouvez maintenir le dynamisme de vos exercices de visualisation: vous pouvez tenir un cahier de vos rêves et travailler à partir des images que ceux-ci vous offrent. De la même manière que vous dressez une liste de vos objectifs vous pouvez aussi préparer une liste des images négatives et positives que vous avez de vous-même et les intégrer à vos séances de détente et d'autosuggestion une à une, soit pour renforcer les unes, soit pour dissoudre les autres. Vous pouvez prendre ces images en elles-mêmes ou les explorer en les mettant en scène dans une situation ou une autre. Finalement, vous pouvez pratiquer cet exercice en compagnie d'une personne avec qui vous vous sentez à l'aise. Celle-ci peut vous guider en vous proposant un scénario de détente et des mises en situation; ou vous pouvez explorer votre relation en faisant ensemble l'exercice. Rien n'interdit que cela se fasse en groupe également, en autant, bien sûr, qu'il y règne un climat de confiance.

Ayez toujours une approche positive de ce que vous voulez réussir. Ceci n'est pas une formule creuse: si, par exemple, vous aimeriez avoir de l'avancement à votre travail ou établir une relation avec une certaine personne, vous ne gagnerez rien si vous espérez y arriver en souhaitant du mal à vos concurrents réels ou potentiels ou en vous donnant une image fausse de vous-même. Vous risquez de ne pas atteindre vos objectifs pour autant, tout en gâchant le plaisir que vous pourriez en tirer en semant en vous le germe de la culpabilité, tout en entretenant en vous des images dépréciantes: «Ah si seulement…», «Pourquoi moi?…», «Pourquoi lui (ou elle) et pas moi?» Les «si» et les «peut-être» ne vous mèneront à rien.

Il faut éviter de construire des scénarios conjugués au futur, au passé ou au conditionnel: vos formules doivent toutes être énoncées au présent, sur un mode affirmatif. C'est ainsi que l'exercice vous aidera à être conscient de vous-même et de vos possibilités en toute situation et qu'il aura une prise efficace sur votre subconscient. Par ailleurs, vos formules ne doivent pas être trop prudentes: évitez les «si» et les «peut-être», soyez résolu et affirmatif, bien que réaliste.

Vous réaliserez très vite à quel point la technique de la visualisation créatrice peut se fondre à votre vie quotidienne car vous l'utilisez déjà d'une manière ou d'une autre: quand nous nous rendons à un rendez-vous et que nous imaginons des retrouvailles; quand le patron nous appelle à son bureau et que nous imaginons le pire; dans nos rêveries de tous les jours; dans notre bavardage intérieur… Dans tous ces cas nous donnons une forme visuelle à nos émotions et à nos attitudes spontanées. Il s'agit pour vous d'apprendre à utiliser à votre avantage l'énorme potentiel de suggestion de votre imagination.

Quelques exemples de scénarios et de formules

Nous avons vu comment, pour maintenir votre concentration à un haut niveau durant vos séances, vous pouviez utiliser l'image du bateau. Vous imaginez que vous êtes transporté dans une île, et que dans cette île il ne peut vous arriver que des choses bénéfiques: c'est dans ce cadre que se déroulent vos mises en scène. Il existe une autre technique qui, elle, a pour but d'isoler vos émotions négatives. C'est la technique de la «bulle»: vous êtes étendu, votre respiration est régulière. Vous imaginez alors une bulle qui se forme dans votre esprit. Dans cette bulle vous placez vos pensées négatives, puis vous ordonnez à la bulle de s'éloigner de vous. Vous la regardez, elle glisse lentement vers l'inexistence, elle est de plus en plus loin, de plus en plus petite. Finalement elle disparaît. Dans les deux cas vous accompagnez l'exercice de formules dans le genre: *«Je suis dans une île où il peut ne m'arriver que du bien... j'ai laissé derrière moi ce qui, de mon passé, ne faisait que me nuire..., ce qu'il m'était désagréable de vivre... cette île est en moi et elle ne me quittera plus jamais...»* Dans l'autre cas: *«Je regarde cette bulle qui s'éloigne de moi... désormais je suis libéré(e) de ce poids que je portais et qui me rendait l'existence difficile... quand elle aura disparu je me concentrerai sur ma respiration... je respire profondément... je ne sens en moi que force et énergie... je mène maintenant une vie sereine et heureuse...»*

Un autre exemple de formule qui peut vous aider à nourrir en vous un sentiment de bien-être est celui qui a pour thème la rivière (ou le fleuve): *«Le bonheur est un large fleuve qui coule, lentement mais avec force... je suis ce fleuve qui coule, je sens en moi cette force... je ne suis plus maintenant une petite barque ballottée au gré du hasard, je ne lutte pas contre ce courant... je n'ai pas peur de l'immensité que je sens en moi... je suis cette eau gigantesque et merveilleuse... je suis conscient(e) de cet instant de plénitude... je largue les amarres du passé sans me préoccuper inutilement de l'avenir... je fais confiance à cette énergie et cette force qui sont maintenant en moi...»*

Une bonne chose serait que vous teniez un cahier dans lequel vous pourrez y noter les idées, rêves, formules, images, etc. qui vont nourrir vos exercices de visualisation. Vous pouvez également inscrire dans ce cahier les listes dont nous avons parlé dans le chapitre sur l'autosuggestion: liste de vos qualités, de vos défauts, de ce que vous voudriez améliorer ou changer. Ajoutez à ceci des notes sur votre progression, sur les changements que vous notez dans l'estime que vous avez de vous-même. Ce cahier vous aidera à garder un contact quotidiennement avec vos exigences et vos projets et donnera une suite à vos séances de visualisation et d'autosuggestion.

Voici quelques exemples supplémentaires de formules que vous pouvez utiliser:

- *Je me sens de plus en plus jeune et dynamique.*

- *Je m'améliore maintenant dans tout ce que j'entreprends.*

- *J'ai confiance en moi et je sens que je peux réaliser mes projets sans effort.*

- *Mon corps rajeunit et retrouve toute sa vigueur.*

- *Mon visage est de plus en plus beau et rayonnant.*

- *J'aime à nouveau avec bonheur et confiance.*

- *Je rajeunis de jour en jour dans tous les domaines de ma vie.*

- *Je sens que j'ai beaucoup à donner, il y a en moi une grande générosité qui veut s'exprimer.*

- *Mon bonheur dépend avant tout de moi, j'ai la force de faire mon propre bonheur.*

- *Je m'accepte tel que je suis et j'accepte les autres tels qu'ils sont.*

- *Mon coeur retrouve sa jeunesse et sa spontanéité.*

Vous pouvez inventer et adapter à l'infini des formules de vie comme celles-ci, en leur ajoutant des détails propres aux situations particulières dans lesquelles vous vous trouvez ou aux aspects de vous-même sur lesquels se porte votre attention (poids, travail, amour, dépression, etc.).

On ne réalise jamais assez comment il est inutile de vouloir changer l'inévitable. La base de la réalisation de soi et de la transformation de soi est l'acceptation de ce que nous sommes *réellement* et *potentiellement*. Rien ne sert, par exemple, de s'apitoyer sur une jeunesse physique perdue ou sur le constat de la non-réalisation de plusieurs des ambitions de notre jeunesse. L'important n'est pas ce que vous n'êtes pas ou plus. Donnez-vous une image gratifiante de vous-même. Ne considérez pas vos lacunes ou vos échecs comme des handicaps insurmontables ou des impasses: habituez-vous à apprendre de vous-même et à tirer le meilleur de vos expériences. *Si certains de vos projets ne se réalisent pas, ce n'est jamais dans leur totalité qu'ils vous échappent: il en reste toujours quelque chose qui se dépose en vous, qui devient le sédiment de vos expériences futures et, surtout, qui constitue la matière de votre vie maintenant.*

La générosité est la clé de votre émancipation: générosité avec vous-même d'abord et l'amour de soi. Cela ne peut que faciliter la générosité avec les autres et l'amour des autres. Comment espérer réussir quelque entreprise et être aimé lorsque l'on est enfermé dans des images dépressives et dévalorisantes de soi? Nous nous tenons à la hauteur de cette confiance que nous avons en nous-même.

Méfiez-vous de la routine et inventez constamment de nouveaux scénarios qui rendront ce temps que vous vous accordez dynamique et stimulant. Donnez-vous de nouveaux défis, de nouveaux espoirs, prenez l'habitude du don et du renouvellement de soi. La jeunesse n'est finalement rien d'autre.

Quelques points à retenir

● *La visualisation créatrice peut vous aider à compléter votre travail d'autosuggestion; en elle-même, elle constitue également un moyen de détente et de relaxation complet.*

● *Commencez par des exercices simples, afin de vous familiariser avec l'exercice et de prendre conscience de votre respiration.*

- *Quand vous avez maîtrisé quelques scénarios de visualisation vous pouvez commencer à intégrer les suggestions que vous avez retenues et par lesquelles vous voulez améliorer un aspect de votre vie.*

- *Évitez les pensées négatives; vos scénarios et vos suggestions doivent être construits autour d'une image positive de vous-même dans des situations gratifiantes.*

- *Ne prolongez pas inutilement vos séances. Arrêtez quand vous sentez que vous perdez votre concentration. Il est bon en ce sens d'avoir une image claire de ce que vous recherchez et de ce que vous attendez du temps que vous vous accordez ainsi.*

Chapitre VI

EN PLEINE SANTÉ À TOUT ÂGE!

Avec le temps, la santé de la plupart des gens a tendance à se dégrader. On se dit que c'est l'âge. Et on se résigne. Et pourtant, grâce à la Technique Nadeau et à l'autosuggestion on peut conserver une santé éblouissante jusqu'à un âge avancé et la retrouver rapidement même si elle semble fort compromise.

Pour tous les êtres humains sans exception, SANTÉ et BONHEUR sont indissociables. Ce lien n'a rien de fortuit si l'on songe que notre corps physique est le véhicule à travers lequel nous faisons l'expérience du monde qui nous entoure, des plaisirs et des joies qu'il comporte. Un corps malade devient un fardeau pour l'esprit, au lieu d'être un instrument grâce auquel nous pouvons toucher, sentir, voir et entendre les choses, manifester nos sentiments, communiquer, échanger avec les personnes de notre entourage. La maladie nous empêche de profiter des bienfaits de l'existence. Elle nous force à l'inactivité et, quand elle s'accompagne de douleurs, elle accapare toute notre attention. Il arrive souvent, par ailleurs, que notre corps ne soit pas affecté par une maladie proprement dite, mais qu'il soit simplement en mauvaise condition, dans un état d'indisposition générale qui le rend encombrant et infonctionnel. Il est possible, dans un cas comme dans l'autre, d'améliorer notre état de santé.

Il n'est plus utile, ici, de démontrer le lien de cause à effets qui relie souvent nos maladies ou nos malaises corporels à notre état d'esprit. Précisons simplement que ce lien peut se manifester de deux manières:

NOUS FAISONS À NOTRE SUBCONSCIENT UNE SUGGESTION NÉGATIVE CONCERNANT NOTRE ÉTAT DE SANTÉ, ET CELUI-CI LA MET À EXÉCUTION.

Bien entendu, la réaction de notre subconscient n'aura pas toujours pour effet de faire apparaître exactement le genre de trouble que nous craignons. Un homme à qui l'on avait assuré que l'appendicite était congénitale et dont la mère venait justement de subir une opération pour une crise aiguë d'appendicite, présenta dans les jours suivants les symptômes caractéristiques à cette maladie qui sont, entre autres, des douleurs au plexus, de violents maux de tête et des vomissements. Et pourtant, examiné par un spécialiste, il s'avéra que son appendice ne montrait aucun signe d'inflammation et qu'il était même en parfait état. Recevant la suggestion que l'appendicite était congénitale et que, par conséquent, l'homme en question devait logiquement en souffrir puisque sa mère en souffrait, le subconscient donna plutôt naissance à une banale indigestion, accompagnée de quelques symptômes apparents d'appendicite.

Il existe d'autres cas, cependant, où la réaction du subconscient conduit à des problèmes plus graves, notamment lorsque des personnes persistent à lui faire la même suggestion plusieurs fois de suite, durant plusieurs jours. Le subconscient sera plus enclin à mettre une suggestion à exécution si celle-ci est RÉPÉTÉE à plusieurs reprises.

Enfin, le lien qui relie notre état d'esprit à notre état de santé peut également se manifester de la façon suivante:

NOUS ÉPROUVONS UN RÉEL MALAISE DANS UNE RÉGION PRÉCISE DE NOTRE CORPS ET NOUS FAISONS À NOTRE SUBCONSCIENT LA SUGGESTION NÉGATIVE D'AMPLIFIER OU D'ENTRETENIR CE MALAISE.

Dans ce deuxième cas, le mal existe déjà, mais nous l'aggravons par des suggestions très malsaines introduites dans notre subconscient. C'est ainsi que nous pouvons faire progresser un ulcère d'estomac bien plus rapidement qu'il ne le ferait si nous cessions d'entretenir mentalement la crainte qu'il ne s'aggrave. Rappelez-vous que le subconscient réagit à chacune de vos paroles sans faire la distinction entre une crainte et un désir, une parole sérieuse ou une plaisanterie. Voici donc, avant d'aborder quelques applications de l'autosuggestion au domaine de la santé, quelques exemples de suggestions positives; il serait bon que vous preniez l'habitude, de les prononcer oralement ou mentalement chaque jour. Vous pourriez même vous les chantonner à voix basse ou, mieux encore, les écrire sur de grandes feuilles que vous colleriez un peu partout dans les pièces de votre maison ou de votre appartement. De cette façon, vous serez assuré de les avoir toujours en tête:

● *La santé est l'état naturel de mon corps et quoi qu'il advienne je sais que mon corps retrouvera de lui-même son état naturel.*

● *La santé de mon corps ira en s'améliorant chaque jour davantage.*

● *Mes douleurs s'en iront comme elles sont venues.*

● *Mon corps sortira vainqueur de cette épreuve et ses forces en seront décuplées.*

Ajoutez à cette liste d'autres suggestions de votre propre cru qui se rattachent plus précisément à votre cas particulier. Si vous souffrez, par exemple, d'une maladie du système digestif ou de maux de têtes chroniques, prononcez ce même genre de formules:

● *L'état de mes organes digestifs ira en s'améliorant chaque jour davantage.*

● *Le bien-être que je sentirai dans mon front, sous mes tempes et tout autour de ma tête ira en augmentant, chaque jour davantage... etc.*

Il ne faut pas, cependant, prendre ces suggestions pour des remèdes-miracles. Elles peuvent se révéler fort efficaces dans le cas de certains malaises passagers, comme les maux de tête bénins, les crampes d'estomac ou, d'une façon générale, quand il s'agit de calmer la douleur engendrée par la maladie. Mais elles ne peuvent en aucun cas remplacer les traitements médicaux. Il est certain, néanmoins, qu'elles peuvent en améliorer l'efficacité. Les suggestions positives, par le biais du subconscient, ont un

effet d'entraînement sur le corps, mais cet effet d'entraînement sera plus ou moins déterminant suivant la gravité
du problème corporel. Par ailleurs, si, tout en pratiquant la
suggestion, vous persistez à maintenir de mauvaises habitudes qui sont reliées à votre malaise ou à votre maladie, le
résultat que vous obtiendrez risque fort d'être minime. Si,
par exemple, votre foie est malade et que vous persistiez à
consommer de l'alcool en grande quantité, l'effet de la
suggestion sera très limité, même inexistant. Les suggestions doivent vous aider à mieux affronter la maladie, et
non vous servir de faux-fuyants. Ces quelques points étant
bien établis, voici maintenant quelques applications de
l'autosuggestion au domaine de la santé corporelle:

VOUS SOUFFREZ DE DOULEURS DUES À UNE
MALADIE QUELCONQUE OU À UNE FAIBLESSE
DE VOTRE ORGANISME, ET CES DOULEURS
VOUS EMPÊCHENT DE VOUS CONCENTRER
SUR AUTRE CHOSE.

Dans ce cas précis, l'autosuggestion ne peut s'appliquer dans l'immédiat. L'autosuggestion suppose un état de
relaxation ainsi qu'un état d'esprit libéré de toute préoccu-
pation. Or, la douleur vous empêche de réunir ces deux
conditions. La technique que vous emploierez sera donc
semblable à celle qui a été proposée dans les premiers
chapitres. Cette technique utilise la suggestion et le
compte à rebours. En ce qui a trait à la douleur, le spécialiste américain de l'auto-hypnose Roger Bernhardt définit
ainsi l'usage de cette technique: «Bien que la douleur
puisse réellement exister, nous pouvons l'éliminer en
orientant notre attention ailleurs.» Le principe de base est
donc fort simple, mais il est plus délicat de savoir comment
le mettre en application:

En premier lieu, assurez-vous que d'autres facteurs, tels une mauvaise respiration ou un raidissement injustifié des muscles, ne contribuent pas à entretenir votre douleur. La tension nerveuse, le raidissement musculaire et la mauvaise respiration sont souvent dus, en effet, plutôt à l'état d'anxiété et de crainte engendré par la douleur qu'à la douleur elle-même. Ainsi, ils contribuent inutilement à intensifier cette douleur. Appliquez-vous à respirer lentement et profondément, relâchez vos muscles. Continuez en ce sens, même si la douleur persiste et même si, comme il est fort possible au début, elle semble plus aiguë encore. Tôt ou tard, vous sentirez une amélioration. Mais le véritable avantage de cette première étape réside en ce qu'elle vous permet de mieux localiser votre douleur, une fois que tous les effets secondaires sont éliminés. Prenez un certain temps pour bien localiser la douleur et tenez-vous le raisonnement suivant:

LA DOULEUR N'EST PAS UNE CHOSE MAUVAISE EN SOI; ELLE PROUVE QUE MON CORPS EST SENSIBLE À CE QUI SE PASSE À L'INTÉRIEUR DE LUI. LA DOULEUR EST UN MESSAGE QUE MON CORPS ENVOIE À MON ESPRIT POUR L'INFORMER QUE QUELQUE CHOSE NE VA PAS COMME IL FAUDRAIT. JE REMERCIE MON CORPS DE SA BIENVEILLANCE, MAIS, MAINTENANT QUE JE SAIS DE QUOI IL S'AGIT JE N'AI PLUS BESOIN DE CETTE DOULEUR POUR EN ÊTRE INFORMÉ.

En accord avec ce raisonnement, dont les scientifiques ont prouvé le bien-fondé à travers leur jargon de spécialistes, vous allez maintenant faire en sorte que la couleur disparaisse:

J'AI PRIS NOTE DE LA DOULEUR, ET JE FERAI BIENTÔT LE NÉCESSAIRE POUR RÉGLER LE PROBLÈME CORPOREL DONT ELLE M'INFORME. POUR L'INSTANT, JE M'ACCORDE UN RÉPIT BIEN MÉRITÉ, JE VAIS ME DISTRAIRE L'ESPRIT AVEC DES ACTIVITÉS PLUS AGRÉABLES.

Maintenant, choisissez la situation dans laquelle vous aimeriez vous retrouver en imagination: une promenade à cheval dans les sentiers d'une forêt, une baignade sur les plages ensoleillées de l'océan Pacifique, etc... Commencez le compte à rebours de dix à un en prenant trois profondes respirations et en affirmant avec puissance et conviction:

AU CHIFFRE UN, LA DOULEUR AURA COMPLÈTEMENT DISPARU ET JE ME RETROUVERAI (par ex.) DANS L'EAU BLEUE DU PACIFIQUE.

Fermez les yeux et commencez le décompte, en ayant soin d'inspirer avant chaque chiffre et d'expirer en les prononçant: Dix, la douleur semble réagir; neuf, elle recule légèrement; huit, elle recule davantage; sept, elle recule de plus en plus; six, elle commence à se détacher de mon corps; cinq, elle se détache de plus en plus; quatre, elle s'apprête à quitter mon corps; trois, elle quitte mon corps; deux, je ne la sens plus; UN, la douleur a disparu!

Maintenant, retrouvez-vous dans la situation que vous aviez prévue au chiffre UN, et profitez des bienfaits de votre imagination.

Cette technique d'autosuggestion s'applique sans distinction aux cas de maladies passagères comme aux cas de maladies incurables. Elle est souvent employée par les patients en phase terminale de cancer et, dans bien des cas, elle remplace avantageusement l'usage des drogues.

VOUS VOUS FAITES BEAUCOUP DE SOUCI À PROPOS DE VOTRE ÉTAT DE SANTÉ ET VOUS AIMERIEZ AMÉLIORER L'ÉTAT GÉNÉRAL DE VOTRE CORPS, AFIN DE LE RENDRE PLUS ROBUSTE ET PLUS ÉNERGIQUE.

Tout d'abord, identifiez les malaises ou les faiblesses corporelles qui constituent des limites à votre épanouissement et qui vous empêchent d'être pleinement heureux. Il n'est pas nécessaire de faire un diagnostic précis. Identifiez simplement les effets néfastes de tel ou tel malaise ou de telle ou telle faiblesse. Il incombera à votre médecin de définir la nature de ces troubles physiques. Pour l'instant, contentez-vous de mettre le doigt sur vos points faibles: il pourrait s'agir, par exemple, d'une faible capacité respiratoire, d'une propension à la fatigue, d'une digestion pénible, d'un manque d'endurance au niveau musculaire, ou d'une indisposition au niveau du cerveau qui empêche votre esprit d'être alerte et disponible.

Une fois que ces limites corporelles seront bien identifiées, relaxez-vous, fermez les yeux et imaginez, tout simplement, que vous êtes affranchi de ces limites. Dans le cas d'une insuffisance respiratoire, par exemple, imaginez que vos poumons se remplissent d'air à volonté et que l'oxygène se répand facilement à travers tout votre corps. Dans le cas d'un malaise cardiaque, imaginez que votre coeur se renforce de plus en plus et qu'il devient aussi fiable que le moteur d'une puissante locomotive. Dans le cas d'un état de fatigue chronique, imaginez que votre corps est traversé de toutes parts par des courants agréables et tonifiants d'énergie positive. Éprouvez, dans chaque cas, la force et l'endurance de votre corps, en mettant à l'épreuve vos capacités pulmonaires, cardiaques et musculaires. Imaginez, par exemple, que vous courez des milles et des milles sans ressentir de fatigue, que vous levez des poids raisonnables sans ressentir d'étirements musculaires. Faites de votre séance d'autosuggestion une véritable séance d'entraînement physique dans laquelle vous réalisez les performances dont vous avez toujours rêvé. Tracez, en imagination, un portrait intense et très convaincant de la santé physique à laquelle vous aspirez.

Il va sans dire que vos séances d'autosuggestion se compléteront avantageusement d'une séance d'exercices réels, notamment la Technique Nadeau, auxquels vous pourriez accorder de façon progressive vingt minutes par jour suivant l'état actuel de votre santé. Le but de vos séances d'autosuggestion, en ce qui a trait à votre condition corporelle, est de faire de votre santé physique un véritable état d'esprit, afin de susciter une plus grande harmonie entre le corps et l'esprit, et de provoquer, en somme, un échange réellement bénéfique entre ces deux parties de votre être.

Chapitre VII

CONSERVER OU RETROUVER UNE TAILLE SVELTE

Un des aspects souvent déplaisants d'un régime alimentaire est que, lorsque l'on a perdu le poids que l'on estimait avoir en trop, on reprend facilement ses anciennes habitudes alimentaires — et bien sûr l'excès de poids que l'on croyait disparu! Un régime n'est pas un supplice et ne doit pas l'être; le sens du mot régime est: une conduite que l'on adopte. C'est donc surtout *l'aspect psychologique* qui est important, puisqu'il s'agit de modifier sa façon de se comporter. Plusieurs personnes consomment certains aliments d'une manière compulsive et excessive, ce qui occasionne inévitablement des problèmes de poids et de santé. La plupart d'entre nous adoptons ce comportement dans certaines circonstances. Pourquoi? *La suralimentation est pourtant une forme de suicide à long terme et un excès de poids considérable réduit de manière tout aussi considérable l'espérance de vie et la qualité de vie* (puisqu'elle entraîne malaises et maladies).

Dans certains cas, la suralimentation ou la mauvaise alimentation est simplement le cas d'une mauvaise éducation: nous avons conservé les habitudes alimentaires que nous avons acquises dans notre enfance. Il arrive aussi qu'il s'agisse d'un comportement ayant pour fonction de nous apporter une forme de compensation émotive. Telle personne mange des sucreries d'une manière excessive pour compenser ses difficultés de communication; telle autre trouvera dans le fait de manger beaucoup un plaisir qu'elle ne trouve pas — ou plus — dans ses relations avec son partenaire sexuel. Peut-être est-ce par ennui? C'est souvent le cas lorsque l'on trouve son travail trop peu stimulant ou que l'on souffre de l'inactivité à laquelle nous contraint la maladie ou la retraite.

La première chose à faire

Il est certes important de comprendre pourquoi vous avez un excès de poids, et il ne peut que vous être utile d'essayer de comprendre les raisons pour lesquelles vous éprouvez de la difficulté à changer vos habitudes alimentaires, mais il est encore plus important de comprendre pourquoi vous voulez les changer: cela aura un effet stimulant et maintiendra votre motivation.

La première chose à faire est de distinguer l'alimentation de l'idée que l'on peut avoir du poids à perdre. L'alimentation ne concerne pas uniquement les personnes trop grosses mais toute personne soucieuse de son bien-être. Aussi ce qui suit s'adresse à tous.

Identifiez vos motifs

Pourquoi voulez-vous changer vos habitudes alimentaires? Pour perdre du poids? Pour améliorer ou maintenir
votre état de santé? Pour vous sentir bien dans votre peau?
Une meilleure alimentation peut faire de vous une personne plus dynamique, non seulement si elle occasionne
une perte de poids mais aussi parce qu'elle peut vous aider
à éliminer certains malaises, telle une trop grande fatigabi-
lité, les difficultés de concentration, la constipation, etc.
Tous ces facteurs ont un impact sur l'image que vous avez
de vous-même et peuvent nourrir des pensées négatives et
dépressives. N'est-ce pas là ce que l'on appelle se «sentir
vieux»?

Quelques trucs

Une fois l'étape de la motivation et de la mise en
situation franchie vient celle des moyens à prendre. Quelques petits trucs peuvent ici vous venir en aide. Si vous
avez tendance à trop grignoter entre les repas vous pouvez
placer un foulard sur la poignée du réfrigérateur pour vous
rappeler à l'ordre. Remplacez la collation (ou le désir
d'une petite gâterie, d'une boisson alcoolisée) par une
petite promenade, une période de lecture, un bout de tricot;
faites la conversation, un casse-tête, etc. Si vous êtes de
ces personnes pleines de bonnes intentions mais qui ne
peuvent s'empêcher, lorsqu'elles font leur marché,
d'acheter toutes ces «bonnes choses» ou de se payer une
barre de chocolat «en passant», essayez, si cela vous est
possible, de faire votre marché après avoir mangé (un bon
repas), ou encore ayez avec vous un petit «en cas» qui
trompera votre fringale sans vous remplir de calories vides. Vous résisterez ainsi plus facilement à votre «mau-

vais» penchant, tout en faisant votre marché d'une manière plus rationnelle et en épargnant quelques sous.

Pendant vos séances de détente ou d'autosuggestion, imprégnez-vous de formules qui ajoutent au caractère positif de vos efforts et qui valorisent les «petits trucs» que vous utilisez. *Insistez sur le fait que vous améliorez votre image, que vous allongez votre vie, que vous en améliorez la qualité, etc.* Si votre problème en est un de poids, évitez de vérifier votre poids trop souvent. Une fois la semaine, ou même aux deux semaines, est amplement suffisant; vous pourrez ainsi mesurer vos progrès d'une manière plus tangible sans vous impatienter.

Prenez également le temps de visualiser les aliments que vous allez consommer en insistant sur ce qu'ils vous apportent de bénéfique et de sain. Inutile d'essayer, par contre, de vous convaincre du caractère nocif de tel ou tel aliment que vous voudriez éliminer de votre régime alimentaire. Ceci ne peut être que déprimant ou culpabilisant — et l'autosuggestion fonctionne mieux quand elle est «nourrie» avec des pensées positives. De toute façon, plus vous apprendrez à aimer ce que vous mangez et moins vous consommerez d'aliments inutiles ou nocifs, plus ces derniers perdront de leur charme ou de leur attrait.

Mettez l'accent sur la modération et le contrôle de soi. Voici quelques exemples de formules que vous pourriez utiliser (n'oubliez pas d'éviter les expressions du genre «je vais faire ceci...» ou «si je fais ceci...»; soyez *affirmatif* et vivez le *présent*):

● *J'atteins aisément le poids idéal.*

- *Je me contrôle parfaitement à table, et je ne mange que ce qui est nécessaire à ma santé.*

- *Je contrôle ma faim et j'apprécie pleinement tout ce que je mange.*

- *Je mange peu mais bien et mon subconscient m'aide à trouver tous les aliments dont j'ai besoin pour mon épanouissement.*

- *Je mange lentement et frugalement et ainsi je digère bien et je multiplie mon énergie et ma beauté.*

- *Je suis de plus en plus beau (belle) et svelte car je me nourris intelligemment.*

Les effets d'une bonne alimentation sont multiples: vous vous rendrez rapidement compte, comme les formules que je viens de vous proposer l'indiquent, que la maîtrise de soi que suppose et qu'apporte une modification de vos habitudes augmentera votre confiance en vous-même et soulignera davantage encore les bénéfices d'un régime sain. Votre digestion sera moins lente et vous aurez plus d'énergie à consacrer à vos activités. Vous vous replierez moins sur la nourriture dans les moments difficiles: au contraire, vous leur ferez face d'une manière positive, ce qui ne pourra qu'améliorer votre vie professionnelle ou affective. Ce nouveau pouvoir que vous vous découvrez sur vous-même changera votre attitude vis-à-vis des autres: vous sentirez que vous avez quelque chose à leur apporter, et les gens se tourneront davantage vers vous: nous sommes toujours plus attiré par quelqu'un qui respire la confiance et le bien-être.

Chapitre VIII

RETROUVER LA BEAUTÉ

À l'origine, notre corps physique n'était guère plus volumineux qu'une tête d'épingle. Il s'agissait, en réalité, d'une cellule fécondée dont l'apparence ne présageait nullement celle d'un corps humain. Mais cette cellule, par un mystère fascinant de la nature, contenait en son sein un véritable plan. À partir de ce plan, elle orienta son développement afin de devenir successivement un embryon, un foetus, un enfant, un adolescent et un adulte aux formes épanouies. Mais pour que ce plan se réalise, il fallut bien qu'une forme quelconque d'intelligence s'occupe de le réaliser, au sein de la cellule fécondée. Il fallut qu'une sorte de messager intérieur transmette ce plan aux différentes parties de la cellule fécondée pour que celles-ci se développent suivant les bonnes étapes. Cette forme d'intelligence naturelle, ce mystérieux messager n'étaient autre que le subconscient.

LE SUBCONSCIENT EST L'ARCHITECTE ET LE SCULPTEUR DE NOTRE CORPS.

91

En ce moment même, avec une lenteur imperceptible, il continue de sculpter les traits de notre visage et de modeler la silhouette de notre corps. Mais maintenant, il ne s'inspire plus seulement de ce plan transmis génétiquement par nos parents. Il s'inspire aussi, et dans une mesure peut-être plus grande encore, de ce nouveau plan dont certains d'entre nous ignorent la réalité mais qui n'en existe pas moins. Ce nouveau plan n'est autre que la conception que nous nous faisons de nous-même.

Ainsi, par exemple, la crainte d'engraisser et de devenir obèse que telle ou telle personne peut entretenir constamment dans son esprit représente pour le subconscient un plan d'engraissement. Si cette personne persiste à croire que son corps deviendra énorme et disgracieux, et qu'elle se répète inlassablement cette «prophétie» négative, elle a de fortes chances de la voir se réaliser dans un avenir plus ou moins lointain.

Il faut prendre conscience dès maintenant de ce pouvoir fascinant dont dispose le subconscient vis-à-vis de notre corps, et nous décider une fois pour toutes à le mettre à profit. Cependant, il importe de souligner ici qu'il ne suffit pas de «soumettre» un nouveau plan à notre subconscient pour qu'il s'applique aussitôt à le réaliser. Encore faut-il que nous l'aidions un peu à notre manière, en supprimant les mauvaises habitudes qui font obstacle à la réalisation de ce plan. Il est inutile, par exemple, de «soumettre» au subconscient le plan de poumons roses et vigoureux si nous persistons à fumer trois ou quatre paquets de cigarettes chaque jour! C'est comme si nous demandions à un concierge de nettoyer un plancher et que nous déversions des ordures derrière lui, tandis qu'il passe le balai. Et il est inutile également de soumettre à notre subconscient le plan d'une silhouette élégante et admirablement bien profilée, si nous persistons à engloutir, chaque jour, d'énormes quantités de nourritures!

Il importe de souligner encore un autre fait: nous pouvons et nous devons soumettre à notre subconscient un nouveau plan de beauté, de minceur, où nous inclurions tous nos désirs, toutes nos fantaisies et, pourquoi pas?, tous nos fantasmes, mais ce nouveau plan ne devra pas entrer en trop grande contradiction avec le plan héréditaire duquel, après tout, le subconscient continue de s'inspirer. Il est inutile, par exemple, de soumettre au subconscient un plan à l'image même de Marylin Monroe, si vous êtes une femme aux cheveux noirs dont l'armature osseuse du visage présente un profil plus semblable au profil grec qu'au profil plus ou moins aplani de la célèbre actrice. Nous avons tous un certain nombre de caractères innés qu'il nous est impossible d'éliminer. Cependant, nous pouvons les embellir et les améliorer de façon considérable. Seulement, au lieu d'être une beauté à la Marylin Monroe, ou une beauté à la Clark Gable, nous développerons une beauté tout à fait personnelle: UNE BEAUTÉ ABSOLUMENT UNIQUE.

Voici les trois étapes du programme de beauté tel que nous le préconisons:

L'étape du miroir

Contemplez-vous dans un miroir, dans le calme et le silence de votre salle de bains ou de votre chambre à coucher. Détaillez votre visage, et voyez quels traits gagneraient à être accentués et quels autres auraient avantage à être atténués. Adoptez plusieurs expressions différentes:

simulez la joie, la surprise, la tristesse, la sérénité, la perplexité. Remarquez laquelle de ces expressions semble vous embellir davantage, et laquelle semble vous enlaidir. Essayez de discerner quels traits de votre visage sont mis en valeur dans cette expression embellissante, et lesquels ressortent dans cette expression enlaidissante. Ce pourrait être, dans le premier cas, la douce rondeur de la joue et la ligne évasée des sourcils, et dans le deuxième cas, le contour un peu trop carré du menton, etc... Quand vous aurez fini d'explorer votre visage, et que vous aurez déterminé à peu près dans quel sens vous devriez le «travailler», reportez votre attention sur vos mains, vos bras, vos épaules, vos jambes, sur votre corps en général et sur votre silhouette. Adoptez plusieurs postures, les bras croisés, un pied devant l'autre, les genoux légèrement pliés, les épaules tombantes, etc... Voyez quelles postures vous vont le mieux et lesquelles vous désavantagent. Cela vous permettra de voir dans quel sens vous devriez «travailler» votre corps.

En vous contemplant, essayez d'oublier un peu les soi-disant «modèles» de beauté que vous avez pu voir dans certains magazines ou à la télévision. C'est à vous seul que vous devez vous comparer. Personne d'autre que vous-même ne connaît le véritable secret de votre beauté.

Faites-vous quotidiennement les suggestions suivantes:
● *MON CORPS ET MON VISAGE IRONT EN S'EMBELLISSANT CHAQUE JOUR DAVANTAGE.*
● *LES TRAITS DE MON VISAGE IRONT EN S'HARMONISANT CHAQUE JOUR DAVANTAGE.*
● *LA BEAUTÉ EST MON ÉTAT NATUREL ET, DE JOUR EN JOUR, JE REVIENDRAI À MON ÉTAT NATUREL.*

● *MA BEAUTÉ UNIQUE RAYONNERA CHAQUE JOUR DAVANTAGE ET LE TEMPS EMBELLIRA MON CORPS ET MON VISAGE.*

Relaxez-vous, fermez les yeux, et tracez en imagination la silhouette de vos désirs, d'un trait noir sur fond blanc. Maintenant, imaginez que vous êtes debout devant cette silhouette que vous venez de dessiner. Imaginez que vous possédez l'étonnante faculté de modeler votre corps à volonté, comme s'il s'agissait de pâte à modeler vivante. Commencez à «travailler» votre corps, imprimez-lui les formes de vos rêves. Enlevez l'excédent de graisse, ici et là, rajoutez-en un peu aux endroits où il vous semble en manquer. Rendez la chose réelle et palpable: touchez votre corps, travaillez-le à pleines mains. Fiez-vous à la silhouette que vous avez tracée. Maintenant que votre corps vous paraît semblable à cette silhouette, imaginez que la ligne noire quitte la surface où vous l'avez tracée et qu'elle vient encercler votre corps. Le tracé de la silhouette s'ajuste parfaitement à vos propres contours, votre modelage corporel est une parfaite réussite.

Vous allez vous livrer au même «travail» sur votre visage. Devant un miroir imaginaire, vous allez modeler votre nez, vos joues, votre menton, etc., afin de les embellir, tout en respectant leur cachet personnel et unique.

Prenez tout votre temps, travaillez votre corps et votre visage avec amour. Quand vous serez enchanté de votre oeuvre, contemplez-vous, mirez-vous dans un miroir, entourez-vous d'une aura de lumière.

Vous pouvez reprendre cet exercice en apportant une variante intéressante: cette fois-ci, ce ne seront pas vos

95

propres mains qui «travailleront» votre corps et votre visage, mais des mains étrangères, que vous guiderez par la pensée. De temps à autre, vous laisserez un peu de liberté à ces mains, mais vous aurez toujours le dernier mot sur elles. Cet apprenti sculpteur qui suit vos directives sera une personnification de votre subconscient.

Un point important à retenir: vous ne devez pas, en imaginant le modelage de votre corps, apporter des modifications trop brusques. Il faut que vous sentiez une progression dans votre modelage, que vous sentiez que votre corps prend petit à petit la forme que vous tentez de lui donner. En somme, cette séance de visualisation consiste à faire une projection accélérée de la lente progression de votre corps et de votre visage vers la beauté de vos rêves. Cela devrait ressembler un peu à ces documentaires où l'on voit une fleur pousser en accéléré et s'épanouir sous nos yeux en l'espace de quelques minutes.

Chapitre IX

COMMENT SE DÉFAIRE DE SES MAUVAISES HABITUDES

Avec l'âge nous contractons souvent des mauvaises habitudes dont il est de plus en plus difficile de se défaire.

Ces mauvaises habitudes tirent souvent leur origine de frustrations psychologiques vécues à un moment où l'autre de notre vie. Elles servent, en quelque sorte, de compensation à quelque chose qui nous aurait manqué.

Nous nous réfugions dans nos mauvaises habitudes afin d'oublier un certain état de profonde insatisfaction. C'est du moins le cas de nombre d'alcooliques invétérés et de la plupart des personnes souffrant d'obésité. Le sentiment d'être rejeté par les autres, d'être mal aimé, qui s'exprime à travers tout un processus de dévalorisation personnelle, pousse la personne à rechercher une autre forme de satisfaction ailleurs. Et comme cette personne a une très basse opinion d'elle-même, elle ne remplacera pas un besoin insatisfait, tel le besoin sexuel, par un intérêt supérieur, mais, au contraire, par un besoin inférieur et artificiel qui, à force d'être excité et satisfait de façon répétitive, deviendra aussi pressant que les besoins les plus naturels.

Par ailleurs, il arrive que cette personne prenne la responsabilité de sa vie et qu'elle décide enfin de mener une existence plus satisfaisante sur le plan des intérêts supérieurs. Mais elle est encore aux prises avec ce nouveau besoin qu'elle s'est créé, qui n'a plus de raison d'être mais qui n'en continue pas moins de l'affecter. Le cas de certains alcooliques est assez troublant en ce sens. Ils ont commencé à boire de façon excessive à une étape critique de leur existence, souvent à la suite d'une faillite sur le plan sentimental ou social. Et quand ils retrouvent enfin la volonté de vivre heureux, l'alcool s'érige comme un obstacle entre eux et ce bonheur auquel ils aspirent.

Il en va de même pour ceux qui ont épanché leurs peines et leurs déceptions en se mettant à manger avec abus. Bien que l'esprit refuse de supporter plus longtemps ces «béquilles» puisqu'elles n'ont plus de raison d'être, le corps, quant à lui, s'y est d'ores et déjà habitué et il réclame encore sa ration de nourriture excédentaire ou d'alcool.

Nous savons, par contre, que le subconscient envoie des «messages» à notre corps, à partir des suggestions que nous lui transmettons nous-même. Par le biais du subconscient, il nous est donc possible de nous défaire de ces mauvaises habitudes qui se sont enracinées au sein même de notre corps physique. Déprogrammons notre subconscient vis-à-vis de ces mauvaises habitudes, et le subconscient s'appliquera à son tour à déconditionner notre corps. Voici, concrètement, comment nous pourrions procéder:

1. VOUS ÊTES AUX PRISES AVEC UN PROBLÈME D'ALCOOLISME

Le problème de l'alcoolisme est assez délicat; les spécialistes, en effet, n'ont pas encore déterminé avec certitude si l'alcoolisme pouvait ou non se rattacher à des dispositions héréditaires. Si tel est le cas, si vraiment il vous était impossible de boire avec modération du fait de certaines dispositions héréditaires qui vous «programment» à boire de plus en plus, la sagesse voudrait que vous cessiez complètement de boire. Mais encore une fois, rien n'est certain: il se peut que ce penchant à boire de plus en plus vous vienne plutôt d'une habitude entretenue que d'un «défaut» de naissance. D'autre part, il faut éviter que la possibilité de boire avec modération ne vous serve d'excuse pour céder à votre envie d'alcool. Il s'agit, comme on peut le constater, d'un problème assez délicat.

Il importe de souligner, ici, que nous ne voulons d'aucune façon faire concurrence au Mouvement AA (alcooliques anonymes) en proposant des solutions qui seraient plus efficaces ou plus faciles! Le soutien merveilleux et les vertus thérapeutiques que peuvent apporter les AA aux personnes souffrant d'alcoolisme sont tout bonnement inestimables. Et si vraiment l'alcool est pour vous un grand fardeau, nous ne saurions trop vous encourager à joindre les rangs de ce Mouvement. Vous y trouverez une solidarité et un soutien moral très salutaires.

Parmi les règles de la philosophie AA, il en existe une qui mérite toute notre attention, du fait de sa grande efficacité:

REMETTEZ TOUJOURS AU LENDEMAIN LE VERRE QUE VOUS AVEZ L'INTENTION DE BOIRE AUJOURD'HUI.

Chaque fois que vous ressentez une envie de boire et que vous vous apprêtez à la satisfaire, faites-vous, à plusieurs reprises, la suggestion suivante:

L'ALCOOL N'EST PAS UN BESOIN, C'EST UN LUXE DÉGRADANT: JE NE BOIRAI DONC PAS CE VERRE AUJOURD'HUI, ET JE LE METTRAI DE CÔTÉ JUSQU'À DEMAIN.

Maintenant, respirez profondément, fermez les yeux et imaginez la situation suivante:

L'alcool a fait beaucoup de tort à votre vie: il a compromis la santé de votre corps, durcissant vos artères, obligeant votre coeur à travailler davantage pour un rendement moindre, affaiblissant vos facultés mentales, détériorant votre système digestif et affectant votre foie. Il a également compromis vos bonnes relations avec votre entourage, et vous a empêché de donner le meilleur de vous-même. Vous ne voulez plus perpétuer davantage cet état de fait...

L'alcool est un carburant désastreux, ce n'est certes pas grâce à lui que vous avancerez vers le bonheur. Imaginez que votre corps et votre esprit puisent leur énergie dans une sorte de carburateur. Imaginez que dans ce carburateur, il y a tout l'alcool que vous avez pu ingurgiter durant votre vie. Ce carburant étouffe votre corps et votre esprit au lieu de les alimenter en énergie positive. Il vous faut donc le remplacer par un autre carburant, plus pur et plus

efficace. Maintenant, imaginez que vous videz complètement votre carburant de tout l'alcool ingurgité, et que vous
le remplissez d'une eau de source claire et limpide. Désormais, cette eau de bonheur et de limpidité remplira
votre carburateur en permanence, et il n'y aura plus la
moindre place pour la plus petite goutte d'alcool.

Il serait intéressant, durant cette séance d'autosuggestion que vous buviez réellement, avec lenteur, en appré-
ciant chaque gorgée, un grand verre d'eau fraîche. Cela
pourrait être le commencement d'une nouvelle habitude!

2. CESSEZ ENFIN DE FUMER!

Certaines personnes parviennent à ne fumer que deux
ou trois cigarettes par semaine, d'autres peuvent s'abstenir
de fumer à volonté. Mais, pour l'immense majorité, l'habitude du tabac s'acquiert très vite et la fréquence de
l'envie de fumer augmente au fur et à mesure que l'on
fume. Si on la compare à la suralimentation et à l'alcoolisme, la consommation de tabac affecte d'une façon assez
négligeable nos relations avec notre entourage. D'une
part, le fait de fumer est toléré par la plupart des gens,
tandis que le fait de manger à l'excès et d'abuser de
l'alcool l'est beaucoup moins. D'autre part, le goudron et
la nicotine, du moins à court terme, n'ont que des effets
très minimes sur notre cerveau et risquent très peu d'affecter notre comportement en société. Mais les effets à long
terme du tabac sont toujours très néfastes. Il n'est pas
nécessaire de montrer, ici, comment le tabac attaque nos
poumons et, indirectement, notre circulation sanguine,
notre coeur et notre cerveau. Il a été prouvé que la cigarette
abrégeait considérablement l'espérance de vie. Vous avez

donc d'excellentes raisons d'interrompre ou de diminuer votre consommation de tabac.

À la différence de l'alcoolisme et de la suralimentation, qui constituent bien souvent des occupations en soi, la cigarette est volontiers associée à d'autres occupations. On fume pour se stimuler pendant que l'on réfléchit à quelque chose, pendant une promenade à pied, en lisant son journal, ou durant une conversation. Dans notre subconscient, le lien entre le fait de fumer et le fait de se livrer à telle ou telle activité se renforce de jour en jour, si bien qu'au moment de nous livrer à l'activité en question nous éprouvons aussitôt l'envie d'une cigarette. Le geste de prendre une cigarette et de l'allumer devient alors tout à fait automatique. Le fait de prendre un journal et d'en commencer la lecture, par exemple, implique subconsciemment que nous allumions une cigarette.

Nous pourrions diminuer dans une large proportion notre consommation de tabac en défaisant le lien subconscient qui relie la cigarette à un certain nombre de nos activités. Voici, par exemple, un certain nombre de suggestions que vous pourriez adapter à votre cas personnel:

• DÉSORMAIS, JE PROFITERAI DE LA LECTURE POUR NE PAS FUMER.
• DÉSORMAIS, JE PROFITERAI DE MON TRAVAIL MANUEL POUR NE PAS FUMER.
• DÉSORMAIS, JE PROFITERAI DE MES PROMENADES POUR NE PAS FUMER.
• DÉSORMAIS, JE PROFITERAI DE MES CONVERSATIONS AVEC MES AMIS POUR NE PAS FUMER, etc…

Répétez-vous ces suggestions le soir avant de vous endormir et le matin au réveil, et chaque fois que vous éprouvez l'envie de fumer alors que vous êtes occupé à une certaine activité. Maintenant, vous allez vous abstenir de fumer durant au moins un quart d'heure, vous allez respirer très profondément, en poussant l'air le plus creux possible vers votre abdomen, et vous allez expirer tout cet air en gonflant les joues, comme si vous vouliez souffler un ballon. Répétez cet exercice à quatre ou cinq reprises. Cela favorisera une meilleure circulation de l'oxygène à travers votre corps et jusqu'à votre cerveau. Il est fort probable que vous ressentiez un léger étourdissement. Prenez alors des respirations plus courtes et expirez sans souffler, en vous contentant de laisser l'air sortir de vos poumons comme d'un ballon qui se dégonfle. Maintenant, fermez les yeux, et imaginez la situation suivante:

Vous êtes en pleine campagne, au sommet d'une montagne, où l'air est pur et vivifiant. Cet air a des vertus merveilleuses, il peut réparer le mal que des années de tabagisme ont fait à votre corps et vous redonner vos poumons d'enfant. Vous ouvrez la bouche toute grande et aussitôt l'air de la montagne s'engouffre dans vos poumons, les nettoie en profondeur, puis s'infiltre dans toutes les parties de votre corps, anéantissant toutes formes de crasse. Vous ressentez dans tout votre corps un immense bien-être. L'air tourbillonne à l'intérieur de vous, insufflant une nouvelle vie à vos cellules, à vos organes, à vos muscles. Vous vous sentez merveilleusement bien dans votre nouvelle peau, et vous reconnaissez maintenant que l'oxygène vous est bien plus agréable que la fumée d'une cigarette, et qu'elle représente votre élément naturel. Vous goûter l'air pur de la montagne avec infiniment plus de délice et de satisfaction que ces bouffées de tabac qui polluent votre corps.

Chapitre X

LE SECRET DE LA
LONGÉVITÉ SEXUELLE

Le temps rend souvent la vie sexuelle monotone. Parfois, on croit qu'on doit renoncer au plaisir parce qu'on est trop vieux. L'autosuggestion dément avec succès les préjugés et prouve qu'on peut mener très tard une vie sexuelle pleinement épanouie. C'est que l'épanouissement de notre vie sexuelle dépend, dans une très large mesure, de la richesse de notre imaginaire sexuel. Les gens très créatifs, dont l'imagination est prolifique et active, n'ont en général que très peu de problèmes sexuels avec leurs partenaires. Tandis que les gens peu créatifs, qui sont en proie à toutes sortes de blocages intérieurs, constituent, pour la plupart, des candidats tout désignés pour l'impuissance, la frigidité et l'éjaculation précoce.

Parmi tous les désirs humains, le désir sexuel est sans doute l'un des plus intenses et des plus naturels. Mais il est également l'un des plus malléables, c'est-à-dire qu'il peut s'exprimer sous des formes très variées et trouver satisfaction de multiples façons. Malheureusement, bien des gens ne sont pas conscients de cette malléabilité du désir sexuel. Leur propre vie sexuelle se déroule suivant une routine bien établie, sans variétés, plate et uniforme. Elle est centrée sur un seul mode de satisfaction et, la plupart du temps, cela se réduit à l'accouplement conventionnel. Il s'ensuit que leurs partenaires finissent très tôt par se lasser d'eux, quand ce n'est pas eux-mêmes ou elles-mêmes qui s'en lassent les premiers!

Une vie sexuelle véritablement épanouie est une vie sexuelle créative, dans laquelle les fantaisies et les fantasmes se renouvellent ou se raffinent sans cesse.

La technique de l'autosuggestion est l'un des moyens les plus efficaces dont nous disposons pour donner à notre vie sexuelle une dimension créative. Elle nous permet de renouveler indéfiniment notre imaginaire sexuel. Mais la première étape consiste à méditer d'abord sur les causes profondes de nos problèmes sexuels.

Voici, à titre de suggestions, un certain nombre de questions clefs qui pourraient vous aider à mieux comprendre vos problèmes de sexualité:

• *Les problèmes que vous éprouvez dans vos relations avec votre partenaire s'étendent-ils au-delà de votre vie sexuelle?*

• *Avez-vous une conception stéréotypée du sexe opposée?*

• *Avez-vous une conception stéréotypée du rôle que vous devez jouer, en tant que partenaire sexuel, selon que vous soyez un homme ou une femme?*

106

• *Souffrez-vous d'un problème d'incommunication avec votre partenaire?*

• *Êtes-vous aux prises avec une morale dépassée qui vous limite dans l'exploration des plaisirs corporels?*

• *Votre sexualité se limite-t-elle à des zones érogènes précises, par exemple la région des organes génitaux?*

• *Êtes-vous capable d'éprouver des sensations intenses et agréables dans des régions de votre corps autres que la région des organes génitaux?*

• *Avez-vous une façon de voir certaines parties du corps humain qui vous les fait paraître désagréables, même repoussantes?*

Quand vous aurez bien exploré tous les aspects de votre vie sexuelle et de vos conceptions à l'égard du sexe, prononcez les affirmations qui vous sembleront les plus appropriées à votre cas personnel parmi les suivantes:

LE CORPS DE MON OU DE MA PARTENAIRE RECÈLE DES MILLIERS D'ASPECTS ENCORE INEXPLORÉS.

MON IMAGINATION SEXUELLE EST INFINIE.

LE SEXE EST UNE CHOSE BELLE EN SOI.

LE SEXE EST UN ART NATUREL, ET J'AI EN MOI LE DON NATUREL D'EXPLOITER CET ART.

JE PEUX ÉTENDRE MON PLAISIR À TOUTES LES PARTIES DE MON CORPS.

JE PEUX REDÉCOUVRIR LE CORPS DE MON OU DE MA PARTENAIRE, ET L'AMENER À REDÉCOUVRIR, À SON TOUR, MON PROPRE CORPS.

LE SEXE EST UN ÉCHANGE D'ÉNERGIES POSITIVES.

Vous pouvez maintenant passer à l'étape suivante, celle de l'autosuggestion proprement dite:

1. VOUS ÊTES AUX PRISES AVEC UN PROBLÈME DE FRIGIDITÉ

La frigidité empêche la femme de prendre une part active dans ses relations sexuelles avec son partenaire masculin. Les causes de ce problème, si largement répandu chez les femmes, remontent souvent à des traumatismes subis au cours de l'enfance. Suite à ces événements troublants, la sexualité masculine prend quelquefois un aspect négatif, voire répugnant ou agressant, aux yeux de la femme. Cette conception arbitraire et négative peut durer de longues années dans son esprit et la maintenir dans un état d'indisposition à l'égard du sexe. La femme s'adonne cependant aux relations sexuelles avec les hommes, mais, de deux choses l'une:

(1) ou bien elle voit la chose comme un devoir que lui impose sa «condition» de femme, et elle se borne à un rôle tout à fait passif...

(2) ou bien elle craint de n'en tirer aucune jouissance, et cette crainte l'empêche de s'abandonner librement à l'exploration des plaisirs sexuels.

Certaines femmes nous diront qu'elles sont, quant à elles, librement disposées à connaître l'orgasme, mais que leurs partenaires masculins, par leur brutalité sexuelle et leur maladresse, leur rendent la chose impossible. Ce faisant, elles méconnaissent tout à fait ce pouvoir dont elles disposent à l'égard des hommes. Personne ne pourrait nier, sérieusement, que le corps féminin fait «perdre la tête» à bien des hommes, alors que le corps masculin exerce une attraction plus subtile sur la plupart des femmes. Il ne tient qu'à la femme de profiter de cet avantage pour devenir l'initiatrice de son partenaire, plutôt qu'un objet de plaisir insensible. Son partenaire masculin réagira d'autant plus favorablement à cette prise d'initiative qu'il en retirera lui-même un plaisir plus subtil et plus raffiné.

Maintenant que ces points sont établis, relaxez-vous, respirez avec lenteur et profondeur, fermez les yeux et imaginez la situation suivante:

Vous êtes en compagnie de votre partenaire, sur la plage chaude et ensoleillée d'une petite île. Devant vous, l'eau bleue et limpide de l'océan s'étend à perte de vue. Vous êtes étendus, l'un près de l'autre, les bras et les jambes déployés en forme d'étoile et vous contemplez les nuages blancs qui défilent dans le ciel azuré. Vous remarquez que les nuages prennent peu à peu la forme de vos deux corps, et qu'ils finissent pas vous ressembler si fidèlement que vous avez l'impression de vous mirer dans le ciel. Vos sosies nuageux se mettent alors à se caresser l'un l'autre. Vous contemplez longuement leurs ébats amoureux, et il vous semble que le plaisir qu'ils en retirent est infiniment plus intense que tout ce que vous avez jamais pu éprouver avec votre partenaire.

Vos sosies nuageux sont maintenant pressés l'un contre l'autre, rayonnant d'un plaisir commun, d'un plaisir si libéré de toutes contraintes, si intense et si harmonieux qu'un arc-en-ciel de couleurs vives et chaleureuses les entoure peu à peu, tel un lever de soleil. Vous restez étendu, encore quelques instants, les membres déployés en forme d'étoile, pour contempler ce merveilleux spectacle. Puis, peu à peu, votre propre corps acquiert une étrange légèreté. Vous vous sentez attiré vers votre sosie nuageux. Tournant la tête, vous constatez que le corps de votre partenaire est animé par la même légèreté. Vous lui prenez la main pour l'attirer avec vous vers vos sosies, là-haut, dans le ciel azuré. Vous montez tous les deux, plus légers que l'air. Au fur et à mesure de votre ascension, au fur et à mesure que vous approchez de ce spectacle de jouissance, de lumière et de couleurs, vous sentez une douce chaleur vous envahir. Vous voyant venir, vos sosies vous adressent un sourire invitant, puis étendent leurs membres en forme d'étoile, réalisant ainsi une parfaite symétrie entre leurs deux corps et les deux vôtres. Puis vos deux corps pénètrent chacun dans son propre sosie, se confondent en eux, pour vivre ce plaisir intense dont vous n'étiez, tantôt encore, que le simple spectateur.

2. VOUS ÊTES AUX PRISES AVEC UN PROBLÈME D'IMPUISSANCE

Le problème d'impuissance est souvent dû, tout comme la frigidité, à notre attitude face à la sexualité. Bien des hommes sont impuissants pour la simple raison qu'ils craignent de l'être. Les cas d'impuissance dus à des troubles physiques relatifs aux organes génitaux sont assez rares, en réalité. Et les cas d'impuissance dus à la sénilité n'interviennent que très tard dans la vie de l'individu, bien longtemps après que la production de semence se soit interrompue. Dans l'immense majorité des cas, un blocage psychologique précède et suscite le blocage physique. L'homme, par exemple, a si peur de n'avoir aucune érection et de ne pas pouvoir éjaculer, qu'il encourage ce phénomène à se produire. C'est un processus que chacun connaît fort bien, pour en avoir lu la description un peu partout d'un chapitre à l'autre de notre petit livre. On fait à son subconscient la suggestion négative d'être impuissant, et celui-ci s'applique à la mettre à exécution!

Mais pourquoi les hommes craignent-ils tant d'être impuissants? Pour plusieurs raisons, dont l'une des principales est sans doute reliée à la conception qu'ils se font généralement de leur rôle sexuel en tant que mâles. Ainsi, la peur d'être impuissant est souvent rattachée à la peur de décevoir la partenaire féminine et de perdre ainsi, à ses yeux, toute sa virilité. La plupart du temps, ces hommes n'envisagent pas la relation sexuelle comme un échange, mais plutôt comme une performance ou un spectacle qu'ils donnent à leur partenaire. Ces hommes sont obsédés à l'idée de ne pas être à la hauteur de la situation.

Si tel est votre cas, ou même si vous croyez que votre impuissance n'est pas reliée à cette conception de la virilité, voici quelques affirmations que vous pourriez ajouter à la liste que nous vous avons déjà suggérée:

LA SEXUALITÉ N'EST PAS UNE PERFORMANCE, MAIS UN PARTAGE HARMONIEUX.

JE PEUX UTILISER MON ÉNERGIE SEXUELLE POUR ÉPROUVER D'IMMENSES PLAISIRS, AU

LIEU DE M'EN SERVIR POUR IMPRESSIONNER MA PARTENAIRE.

RIEN NE M'OBLIGE À ME PRIVER PLUS LONGTEMPS DES PLAISIRS SEXUELS.

Maintenant, relaxez-vous, fermez les yeux, et essayez de vous rappeler la dernière fois que vous avez vécu une relation sexuelle satisfaisante. Faites un effort pour vous rappeler les sensations que vous éprouviez dans la région de vos organes génitaux. Simulez en imagination la tension provoquée par l'érection, le chatouillement, la chaleur, etc... Imaginez que la tension augmente, que le chatouillement devient de plus en plus intense, que la chaleur se fait de plus en plus vive. Imaginez que vous êtes sur le point d'éjaculer, et qu'une sorte de courant électrique va et vient de vos pieds à votre tête. Maintenez cet état de tension imaginaire le plus longtemps possible, augmentez-en l'intensité. Quand vous aurez l'impression d'avoir atteint vos limites, imaginez que vous éjaculez et que la tension se libère d'un seul coup, comme un ballon surgonflé qui se dégonfle rapidement.

Vous pouvez imaginer toute la scène de cette façon ou, encore, y inclure des attouchements avec votre partenaire, des positions qui vous semblent excitantes. Laissez libre cours à votre imaginaire sexuel!

3. VOUS SOUFFREZ D'UN PROBLÈME D'ÉJACULATION PRÉCOCE

L'éjaculation précoce abrège le plaisir de l'homme, et supprime celui de la femme. Ce genre de problème peut trouver plusieurs explications. Mais, en

112

règle générale, l'on peut dire que l'éjaculateur précoce est celui qui limite ses expériences érotiques à la région de ses organes génitaux. L'énergie sexuelle ainsi orientée dans une seule direction devient vite trop intense et, par conséquent, l'éjaculation s'ensuit aussitôt. Si tel est le cas, il vous faudrait apprendre à déplacer votre plaisir vers d'autres régions du corps: IL VOUS FAUDRAIT APPRENDRE À MANOEUVRER AVEC VOTRE ÉNERGIE SEXUELLE.

La marche à suivre est fort simple: vous allez reprendre l'exercice imaginaire proposé pour les cas d'impuissance. Mais cette fois, vous vous imaginerez en pleine relation sexuelle avec votre partenaire. Simulez en imagination toutes les sensations qui se rattachent à l'érection. Maintenant, imaginez que ces sensations se propagent dans tout votre corps et que vous ressentez dans vos bras, dans votre cou, dans vos mains, dans votre ventre, dans votre poitrine, etc. un intense chatouillement, une vibration agréable, comme si un courant électrique se promenait à travers votre corps, tandis que vous faites l'amour à votre partenaire. Quand vous aurez ressenti une sensation intense dans toutes les parties de votre corps, imaginez que l'énergie sexuelle revient en entier vers vos organes génitaux et que vous êtes sur le point d'éjaculer. Retenez l'éjaculation et redistribuez l'énergie sexuelle dans les autres régions corporelles. Vous pouvez également imaginer que votre énergie sexuelle quitte votre corps pour se propager dans celui de votre partenaire, afin de souligner la dimension du partage que devrait comporter toute relation sexuelle. Il s'agira alors de vous projeter dans le corps de votre partenaire et d'explorer ainsi votre propre corps de l'extérieur, à travers des yeux et des mains de femme.

Chapitre XI

DÉBARRASSEZ-VOUS DE L'INSOMNIE

Les soucis, l'angoisse, les responsabilités qu'apporte l'âge causent souvent une insomnie chronique qu'une savante pharmacopée réussit mal à vaincre. L'autosuggestion vient à votre secours.

L'insomnie est généralement reliée à l'une de ces trois causes:

● *Des préoccupations envahissent notre esprit et nous empêchent de trouver le sommeil.*

● *Nous avons simplement peur de ne pas parvenir à nous endormir alors que nous avons besoin de sommeil.*

● *Nous sommes en proie au surmenage, et la fatigue de notre corps se transforme en «fatigue nerveuse».*

Si votre insomnie est due au deux dernières causes, une bonne séance de relaxation suffira certainement à vous faire retrouver le sommeil. Si le sommeil tarde encore à venir, vous pourriez compléter cette séance de relaxation par une séance d'autohypnose. Cette fois-ci, cependant, le compte à rebours sera un peu plus long qu'à l'accoutumée. Au lieu de faire un décompte de dix à un, vous ferez un décompte en partant de vingt ou de trente:

AU CHIFFRE UN, JE M'ENDORMIRAI D'UN PROFOND SOMMEIL.

Fermez les yeux et commencez le décompte: vingt, je sens une légère somnolence m'envahir; dix-neuf, je somnole agréablement; dix-huit, mon corps s'engourdit; dix-sept, mon corps s'engourdit davantage; seize, mon corps s'engourdit de plus en plus; quinze, mes jambes deviennent lourdes; quatorze, mes bras deviennent lourds; treize, ma tête devient lourde, ...trois, mon corps est lourd; deux, je ne sens plus rien, ...UN! JE DORS D'UN SOMMEIL AGRÉABLE ET PROFOND.

Si votre insomnie est due à certaines préoccupations qui ne cessent de vous envahir, une séance d'autosuggestion s'impose dans votre cas. En premier lieu, déterminez la nature de vos préoccupations: sont-elles d'ordre financier, d'ordre sentimental, concernent-elles vos amis, votre famille, votre emploi, votre santé? Une fois que vous aurez mis le doigt sur le genre de problèmes qui vous préoccupe davantage, il vous suffira de vous référer au chapitre du présent ouvrage qui lui est consacré et d'imaginer la situation proposée. Si vous ne parvenez toujours pas à cerner la nature de vos préoccupations, que celles-ci ressemblent à un mélange inextricable de problèmes variés, imaginez la scène suivante:

Vous tenez dans vos mains un ballon de caoutchouc dégonflé. Chaque fois qu'un mauvais souvenir, une pensée déplaisante, une crainte quelconque vous viennent à l'esprit, vous les capturez un par un dans le ballon de caoutchouc. Imaginez que le ballon de caoutchouc se gonfle peu à peu, chaque fois que vous y enfouissez une crainte ou une pensée déplaisante. Continuez de la sorte jusqu'à ce qu'il soit complètement gonflé. Constatez maintenant à quel point ce ballon est léger. Lancez-le en l'air, rattrapez-le, relancez-le. Vos soi-disant problèmes sont légers comme l'air. Vous n'aviez donc aucune raison de vous en préoccuper. Imaginez que vous êtes étendu sur le dos et que vous lancez le ballon de problèmes très haut dans le ciel pour ensuite le rattraper, et le relancer, et ainsi de suite. Répétez ce même geste inlassablement. Ne vous occupez pas de chercher le sommeil. Il viendra vous saisir de lui-même pendant que vous jouerez avec votre ballon de problèmes.

En général, les causes de l'insomnie sont d'ordre psychosomatique, et il est facile d'y remédier en pratiquant l'autohypnose et l'autosuggestion. Vous constaterez d'ailleurs, au fur et à mesure que se déroulera votre pratique de l'autosuggestion que celle-ci tend peu à peu à ressembler à un rêve nocturne conventionnel, vous entraînant à l'oubli total de votre corps physique et s'enrichissant de quelques phénomènes hallucinatoires. Ce sera signe que le sommeil a déjà gagné du terrain.

Chapitre XII

VENEZ À BOUT DE LA PEUR ET DE LA TIMIDITÉ ET SOYEZ (À NOUVEAU) PLEIN D'ASSURANCE

S'adressant un jour à l'Amérique tout entière, Franklin D. Roosevelt a dit cette phrase restée célèbre: «La seule chose dont nous devons avoir peur est la peur elle-même.» Et pourtant, malgré l'âge et l'expérience de vie, peut-être à cause de certains échecs, beaucoup vivent dans la peur, traînant à l'âge adulte leurs peurs d'adolescents.

Parmi les différentes formes que peut prendre la peur, la timidité est sans doute la plus largement répandue. Bien que la peur d'affronter les gens soit souvent moins intense que la peur des hauteurs ou la peur du sang, elle n'en constitue pas moins un handicap bien plus profond. À plus forte raison si les activités que nous exerçons nous obligent à des contacts fréquents avec un public ou une clientèle.

À la racine de toute peur se trouve une ignorance de la nature véritable des gens et des choses, et, en retour, une ignorance de notre propre nature. Nous avons peur des gens car ils nous sont inconnus. D'une façon générale, nous avons peur de l'inconnu, et nous avons tendance à anticiper les aspects négatifs et cet inconnu, qui sont peut-être tout à fait négligeables. Ce faisant, nous nous plaçons dans de très mauvaises dispositions face à l'inconnu et celui-ci, par conséquent, nous présente plus volontiers ses aspects négatifs. Rien n'est plus naturel! Quelles seraient, par exemple, vos propres réactions si un individu se présentait à vous avec une façon d'être et d'agir qui trahit des craintes absurdes à votre égard et une attitude défensive, comme si, sans aucune raison valable, vous alliez le gifler ou le semoncer? Vous seriez irrité, sans aucun doute, et votre première réaction serait de vous défaire de sa présence gênante. Et si, au contraire, cette même personne se présentait à vous avec un charmant sourire et se montrait tout à fait à son aise en votre présence, quelles seraient vos réactions?

L'influence positive que nous pouvons exercer sur les gens est tout simplement inouïe, pour peu que nous sachions neutraliser cette peur et cette timidité qui nous empêchent de nous exprimer avec naturel et aisance. Voici trois exercices de visualisation qui ont pour but de neutraliser ce genre d'état d'esprit:

1. VOUS SOUFFREZ D'UN MANQUE DE CONFIANCE ENVERS VOUS-MÊME, ET VOUS NE PARVENEZ PAS À VOUS MONTRER TEL QUE VOUS ÊTES AUX YEUX DES AUTRES.

Relaxez-vous, respirez avec lenteur et profondeur, fermez les yeux et imaginez qu'une intense lumière jaillit du fond de votre esprit, s'étend à tout votre corps, le faisant rayonner d'une chaleur agréable et rassurante. Imaginez

120

que la lumière de votre esprit se propage autour de vous, entourant votre corps d'une aura éclatante. Cette intense lumière symbolise la vérité et l'acceptation de votre propre être.

2. VOUS SOUFFREZ D'UN MANQUE DE CONFIANCE ENVERS LES GENS DE VOTRE ENTOURAGE ET ENVERS LE MONDE EŃ GÉNÉRAL.

Dans cet exercice de visualisation, vous appliquerez le principe de la conscience rayonnante, c'est-à-dire que vous tenterez une projection de votre conscience au coeur même des gens qui vous entourent en vous «mettant à leur place». Relaxez-vous, prenez de lentes et de profondes respirations, fermez les yeux et imaginez la situation suivante:

Vous devenez, pour commencer, les gens de votre entourage intime. Vous êtes placé dans le genre de situation que chacun d'eux a l'habitude de vivre, vous éprouvez le genre de sentiments qu'ils ont l'habitude d'éprouver ou, du moins, qu'ils vous semblent éprouver. Vous faites partie intégrante de leur corps et de leur esprit. Successivement, vous les traversez un par un, vous êtes chacun d'eux tour à tour. Maintenant que vous êtes devenu, une par une, toutes les personnes de votre entourage intime, vous devenez une par une toutes les personnes de votre entourage social. Vous pouvez étendre le rayonnement de votre conscience aussi loin qu'il vous plaira! Mais vous ferez, à chaque fois, abstraction de vous-même. Vous vous appliquerez à ressentir ce que tous ces gens peuvent ressentir, face à leur situation personnelle, face à leur corps et les uns vis-à-vis des autres. Vous vous appliquerez à devenir une véritable conscience collective.

3. VOUS DEVEZ AFFRONTER BIENTÔT UN PUBLIC QUELCONQUE, OU CERTAINS INDIVIDUS À QUI VOUS DEVEZ PRÉSENTER UNE DEMANDE, MAIS VOUS ÉPROUVEZ À L'AVANCE UN TRAC IRRÉSISTIBLE.

Si tel est votre cas, votre séance de visualisation devra être orientée de façon très précise. Le principe de la conscience rayonnante s'appliquera avec succès à ce genre de problème.

Relaxez-vous, fermez les yeux et représentez-vous la situation telle que vous l'anticipez. Faites-y entrer tous les détails qui vous sembleront pertinents, mais écartez systématiquement tous les aspects négatifs. Maintenant, devenez le public que vous devez rencontrer ou la ou les personnes à qui vous devez présenter une demande quelconque. Que vous connaissiez déjà ces personnes n'a aucune importance en soi. Le but de cet exercice est de vous détacher de vous-même afin que vous parveniez à ressentir ce que les autres pourraient ressentir face à vous-même. Cela vous permettra, placé dans la situation réelle, d'évoluer avec une certaine aisance et une profonde confiance parmi les gens impliqués, car vous aurez développé cette étonnante habileté de voir les choses à la fois de votre point de vue personnel et du point de vue des autres.

Il s'agit en fait de l'une des plus belles qualités humaines: l'empathie. Les personnes empathiques sont immensément populaires et leur compagnie est toujours grandement appréciée. C'est à elles que l'on fait appel pour régler des malentendus et rétablir l'harmonie, c'est à elles que l'on demande conseil et c'est avec elles que l'on désire surtout partager ses joies et ses peines. Il ne tient qu'à nous de développer intérieurement, à travers l'auto-suggestion, cette noble et merveilleuse qualité. D'une façon radicale et décisive, cette timidité qui dresse une sorte d'écran entre nous et les autres peut se dissoudre et disparaître complètement devant l'épanouissement de nos qualités empathiques.

Chapitre XIII

ON PEUT AMÉLIORER SA
MÉMOIRE À TOUT ÂGE

Un des signes du vieillissement est la perte ou la dégradation de la mémoire. Ce phénomène peut être stoppé. On peut même améliorer sa mémoire à tout âge. Il est en effet possible de remédier aux problèmes de mémoire grâce à la technique d'autosuggestion. Nous vous proposons, pour ce faire, deux exercices. Le premier constitue un sorte d'entraînement mnémonique, et le deuxième une façon efficace de faire collaborer notre subconscient en vue d'avoir un libre-accès aux informations de notre choix:

1. LE CALCUL MENTAL

Fermez les yeux et additionnez le chiffre UN avec le chiffre DEUX; maintenant, additionnez le chiffre DEUX avec le résultat obtenu, et continuez sur cette même lancée aussi loin que vous en serez capable: $1+2=3$, $2+3=5$, $3+5=8$, $5+8=13$, $8+13=21$, etc... Imaginez-vous en train de les inscrire l'une après l'autre. Cet exercice vous aidera à améliorer votre faculté de retenir l'information, car pour passer à l'addition suivante, vous devez garder en tête l'addition précédente, et ainsi de suite.

2. LA FILIÈRE IMAGINAIRE

Relaxez-vous, fermez les yeux et imaginez la situation suivante:

Vous êtes dans une salle abondamment éclairée. Sur chacun des quatre murs de la salle, vous voyez s'étaler des dizaines et des dizaines de tiroirs, incrustés à même les murs. Les quatre murs ressemblent à d'immenses classeurs, avec leur alignement régulier de tiroirs. Prenez le temps de bien imaginer la scène, regardez chaque mur l'un après l'autre, n'essayez pas de tout vous représenter d'un seul coup. Imaginez maintenant que chacun des tiroirs contient toutes les informations que vous avez pu emmagasiner sur un sujet précis. Sur le premier mur, vous avez tous les sujets possibles de A à G, sur le second mur, tous les sujets possibles de H à N, etc... Vous possédez donc un tiroir bondé de renseignements sur l'anatomie, un autre sur les animaux, un autre sur les années de votre vie, de la naissance jusqu'à aujourd'hui, un autre sur les banques, un autre sur la bible, et ainsi de suite jusqu'à la lettre Z. Tenez pour acquis que chaque tiroir ne dessert qu'un seul et unique sujet. Il ne saurait y avoir de confusion! Vous ne trouverez aucun renseignement à propos de telle question géographique, par exemple, en cherchant dans le tiroir consacré au cinéma. Maintenant que vous avez parcouru la salle des yeux et que vous vous êtes fait une petite idée de l'immense mine d'informations qu'elle représente, vous allez choisir un sujet, n'importe lequel, sur lequel vous aimeriez avoir quelques renseignements. Commencez par des sujets faciles, afin de vous familiariser avec votre filière imaginaire. Vous avez lu, par exemple, un roman que vous avez fort apprécié mais dont vous avez oublié le contenu, ou les grandes lignes de l'histoire. Imaginez-vous en train de parcourir la salle à la recherche du tiroir qui traite de l'auteur de ce livre ou du livre lui-même, ouvrez lentement le tiroir en question et parcourez-en le contenu. Il y a de très fortes chances que vous y trouviez les renseignements voulus.

D'une séance à l'autre, vous progresserez dans l'utilisation de votre filière imaginaire, et vous pourrez y puiser des renseignements de plus en plus précis, de plus en plus détaillés. Vous pourrez même vous y référer dans n'importe quelles circonstances. Un ami vous demandera, par exemple, à quelle occasion vous vous êtes rencontrés pour la première fois, dans quel endroit, à quel moment de l'année, et vous n'aurez qu'à fermer les yeux, un instant, juste le temps d'aller jeter un coup d'oeil dans l'un des tiroirs de votre filière imaginaire. La FILIÈRE IMAGINAIRE EST UN MOYEN SIMPLE ET EFFICACE D'ORGANISER VOTRE MÉMOIRE.

Chapitre XIV

LA DÉPRESSION

Il y a deux types de dépression: une, considérée comme «normale», et qui se produit habituellement quand survient un événement modifiant profondément notre existence (par exemple la mort d'un conjoint). On la dit normale car une telle dépression est liée à des événements extérieurs à nous-même, que nous n'avions pas prévus, et qui exigent une réadaptation. Il est donc inévitable que ce moment de flottement soit parfois difficile à vivre, mais la plupart des personnes surmontent à plus ou moins brève échéance cette dépression, sauf s'ils entrent dans la deuxième catégorie, celle des gens chez qui la dépression est liée à leur tempérament et à leur mode de vie. C'est de cette dépression-là qu'il est surtout question ici, mais il est clair que les solutions qui valent pour l'une peuvent aussi aider dans l'autre cas.

La dépression peut être grave ou légère, allant d'une simple tristesse à un mal de vivre profond qui amène la personne à se replier sur elle-même ou encore à avoir des demandes et des exigences exagérées vis-à-vis de son entourage. Dans ce dernier cas, l'insatisfaction exprimée à propos de tout un chacun masque l'insatisfaction devant soi-même (on pense ici à ces images de femme d'âge mûr qui se comportent en mégère avec leur famille ou leur conjoint plutôt que d'exprimer clairement la source de leur insatisfaction, sexuelle ou autre).

La dépression rend impossible l'épanouissement personnel car elle nourrit, et se nourrit d'un sentiment d'échec, de la dépréciation de soi qui n'est souvent que l'expression indirecte d'une rage qui ne peut s'exprimer, rage née du désabusement, et que l'on retourne contre soi. L'énergie dépressive est la même que l'énergie agressive: elle exprime la colère, la frustration ou la déception, et même souvent la culpabilité.

En investissant ainsi son énergie dans la destruction de soi la personne déprimée crée un vide autour d'elle qui fait fuir les autres et ne peut qu'accroître encore son isolement et sa frustration. Il s'agit d'un cercle vicieux. Elle s'épuise à se maintenir loin de ce qui pourrait l'aider — la compagnie, l'activité — et perd bientôt tout intérêt pour ce que la vie peut lui offrir. Elle sent en elle-même un immense trou noir qui la prive de toute vitalité.

Une dépression durable résulte habituellement du *sentiment d'impuissance apprise:* comment s'apprend-elle? En vivant dans la dépendance ou le stress. Les principaux traits de la personnalité dépressive sont: une absence de flexibilité qui rend très difficile l'adaptation au changement et donne prise au stress; un penchant au surtravail qui rend impossible toute forme de détente: ici aussi l'adaptation au changement devient problématique.

La personne dépressive s'éduque dans la dépression. Son identité repose sur un certain nombre d'attitudes qui ont pour effet de l'amener à s'appuyer exagérément sur d'autres personnes ou des situations qu'elle ne contrôle pas. Quand elle perd les unes ou les autres, sa personnalité s'effondre. Perdre son travail, ses conjoints, ses revenus ou encore se retrouver handicapé à la suite d'une maladie sont autant d'exemples de situations pénibles face auxquelles la dépression est une réaction normale. Mais il peut arriver que la dépression remplace ce qui a été perdu. C'est alors que les difficultés commencent et que la personne se ferme sur elle-même.

Que faire pour surmonter la dépression?

Il y a d'abord deux principes généraux à respecter: il faut *demeurer actif* et *ne pas s'isoler*. On peut entendre activité au sens physique. Cela veut dire simplement que toute forme d'exercice préservera en vous l'énergie et le dynamisme nécessaires à retrouver la joie et le bien-être. On peut entendre activité au sens social: ceci veut dire que toute activité dans laquelle vous vous impliquez vous aide à définir ou à redéfinir votre personnalité à partir de vous-même. *L'autonomie est un élément essentiel de la confiance en soi.*

En fait, le remède idéal à la dépression est l'amour. Mais celui-ci n'est pas toujours présent, sans compter qu'il n'est pas impossible qu'il devienne une fuite et que la personne dépressive crée dans son rapport amoureux un autre rapport de dépendance qui l'éloignera d'elle-même et préparera une autre déception difficile à vivre. *L'amour véritable est ainsi celui qui vous permet de vous découvrir vous-même: un tel amour ne peut naître que dans l'amour de soi.* C'est pourquoi il est important de demeurer actif, afin de ne pas perdre contact avec soi-même ni avec les autres. Car l'amour de soi ne veut pas dire solitude. Il veut dire respect de soi dans la rencontre de l'autre, qu'il s'agisse d'amour ou d'amitié.

Il existe également une autre raison pour laquelle il faut fuir l'inactivité et l'isolement. Voici ce qu'écrit Muriel Oberleder dans son livre *Vieillir en beauté*: «*Les personnes âgées ont besoin des autres.* Elles ont besoin de la présence des autres pour stimuler la chimie cérébrale qui empêche la dépression. Il n'est pas nécessaire que vous établissiez des relations avec des gens que vous n'aimez pas. Il suffit d'avoir un contact avec eux.» Les contacts sociaux gardent en vie, de la même manière que la dépression tue à petit feu. Plus vous vous sentirez riche, plus vos relations seront enrichissantes. Selon mon expérience, il n'est pas besoin d'attendre d'être une personne «âgée» pour mettre en pratique un précepte aussi sage. Il nous concerne tous, quels que soient notre âge et notre état d'esprit.

Comment utiliser l'autosuggestion

Le chemin à suivre pour surmonter la dépression est tracé, mais il n'est pas toujours facile de s'y engager. Il faut atteindre un certain état de motivation et de détermination. C'est dans la détente que vous pouvez amorcer cette prise de contact avec vous-même, et que vous pouvez alors utiliser l'autosuggestion (n'oubliez pas que la dépression résulte souvent du stress et de la colère, d'où l'importance de la détente).

132

Prenez d'abord conscience des sources de votre dépression. Relaxez-vous, pratiquez la visualisation créatrice. Ceci est une occasion particulièrement choisie pour utiliser la technique de la bulle: enfermez-y vos malheurs et regardez-les s'éloigner de vous. Apprenez à ne pas vivre dans le passé. Fortifiez ensuite votre détermination à l'aide de formules comme celles-ci:

● *Cette dépression n'est pas moi, elle se nourrit de tel événement que je ne peux contrôler.*

● *Je ne vais plus laisser ce que je ne peux changer m'influencer, je m'occupe maintenant de ce qu'il est en mon pouvoir d'accomplir.*

● *Je ne vais plus accuser les autres de mes malheurs ou attendre des autres une solution à ceux-ci... mes malheurs ne sont pas de leur responsabilité, ils appartiennent au passé... je vais découvrir des autres ce qu'ils peuvent m'apporter à compter de maintenant... je n'entretiens plus de haine ou de rancune qui m'éloignent des autres... je sens en moi la générosité qui naît du bien-être et de la détente.*

● *Quand je me sens dépressif dans mes activités quotidiennes, je me crierai intérieurement le plus fort que je peux STOP et je m'occuperai de ces pensées dépressives durant mes moments de détente... je ne vais plus me plaindre ou m'apitoyer sur mon sort quand ces pensées n'envahissent, je ne vais pas les laisser troubler mes activités, mes amours, mes amitiés.*

● *De jour en jour je sens grandir en moi une soif d'accomplissement, je me donne de nouveaux buts que j'ai*

133

envie de réaliser patiemment, au jour le jour, à commen-
cer par la reprise en charge de ma vie.

Peut-être faudrait-il souligner ici, avant de laisser cette question, qu'il n'est pas honteux, loin de là, d'être dépressif et de demander de l'aide à nos proches , à notre médecin ou à un spécialiste. L'important est que cette démarche ne devienne pas le prétexte à l'apitoiement. En ce sens il en va de la dépression comme de l'alcoolisme.

Chapitre XV

IL N'EST JAMAIS TROP TARD POUR DEVENIR RICHE OU POUR TROUVER L'EMPLOI IDÉAL

La vie apporte bien des déceptions professionnelles et des frustrations. Bien des gens sont persuadés que s'ils sont encore pauvres à un certain âge, ils le resteront toute leur vie. C'est une erreur déplorable.

L'accumulation des richesses est d'abord une question d'état d'esprit. Il n'est qu'à regarder des hommes tels que Ray Kroc, le milliardaire du hamburger pour s'en convaincre, qui ne commença à faire de l'argent qu'à 52 ans, en rachetant le restaurant des frères MacDonald. Il avait en lui les deux qualités essentielles qui sont à la base de tout succès:

LA CONFIANCE EN SES PROPRES CAPACITÉS
LA CONFIANCE ENVERS LE MONDE

L'Américain Napoléon Hill, qui s'est longuement penché sur la vie des grands hommes d'affaires américains, s'est appliqué à définir les étapes à suivre afin d'accéder à la richesse. En voici quelques-unes, parmi les principales:

- LA CONFIANCE EN NOS CAPACITÉS.

- TROUVER UNE IDÉE EN LAQUELLE NOUS CROYONS.

- FIXER UN MONTANT DE DÉPART ET LE MONTANT QUE NOUS DÉSIRONS OBTENIR.

- ÉLABORER UN PLAN.

- FIXER UN DÉLAI PRÉCIS EN VUE DE LE RÉALISER.

Hill introduit également le principe du «cerveau collectif». Le «cerveau collectif» représente l'ensemble des connaissances dont disposent tous les gens autour de vous. Ainsi, quand notre propre esprit ne possède pas certaines données nécessaires à l'échafaudage de son plan, il peut puiser à volonté dans le «cerveau collectif», pour peu qu'il sache en faire un partenaire et en tirer profit. Il est donc important d'être réceptif aux gens qui nous entourent. Le «cerveau collectif» est un peu le penchant extérieur de notre subconscient: il représente une banque inépuisable d'informations.

Tous ces principes restent valables, quelles que soient la nature et la grandeur de l'entreprise que nous désirons fonder, qu'il s'agisse d'un atelier de confection artisanale ou de la commercialisation à grande échelle d'un certain produit. Vous auriez également avantage à les appliquer même si, dans votre cas, vous préférez décrocher un certain poste au sein d'une entreprise déjà existante plutôt que de monter votre porpre «affaire». Habituez-vous à considérer votre emploi actuel ou votre emploi à venir comme une entreprise personnelle. Cela suscitera un échange bénéfique entre vous et vos employeurs, plutôt qu'une relation stérile et dévalorisante de salarié à patrons, et vous en récolterez très vite des avantages personnels et, cela va de soi, matériels.

Voici maintenant deux exercices d'autosuggestion entre lesquels vous pourrez choisir celui qui semble convenir à votre cas personnel.

1. VOUS RECHERCHEZ UN EMPLOI, MAIS VOUS N'AVEZ QU'UNE VAGUE IDÉE DU GENRE DE SITUATION QUI VOUS CONVIENDRAIT ET, PAR MANQUE DE CONFIANCE, VOUS AVEZ TENDANCE À LIMITER VOS RECHERCHES À DES EMPLOIS PEU RÉMUNÉRATEURS.

Si tel est votre cas, votre attitude est mauvaise au départ. Vous êtes parfaitement en droit d'attendre une rémunération substantielle si la qualité de vos services la justifie. Et la qualité des services que vous pouvez offrir à telle ou telle entreprise dépend de vous et de vous seul. Par ailleurs, vous partez perdant en vous mettant en tête de demander une situation à tel ou tel employeur. Il ne s'agit aucunement de demander quoi que ce soit à qui que ce soit, mais, bien au contraire, d'offrir vos services à quelqu'un, en échange d'un salaire. L'idée de départ est donc radicalement différente. Elle vous incite, en outre, puisque vous offrez au lieu de demander, à définir clairement ce que vous avez à offrir. Cette étape de base est sans doute l'une des plus délicates, car nous avons tendance à sous-estimer nos qualités et nos capacités, tout en surestimant l'importance de nos défauts. Accordez-vous tout le temps nécessaire pour choisir le type d'entreprise au sein de laquelle vous aimeriez exercer une fonction et pour définir les services que vous pourriez offrir à cette entreprise, en échange d'une rémunération. On ne saurait trop insister, ici, sur l'importance de la spécialisation. Il est important, en effet, que vous focalisiez vos recherches d'emploi sur un métier précis ou une carrière précise.

Si un métier ou une carrière vous intéresse en particulier mais qu'il est manifeste que vous n'avez pas une formation adéquate, restez fidèle à vos aspirations et faites le nécessaire pour acquérir cette formation. Trop de gens se sont orientés vers des métiers qui ne les intéressaient guère sous prétexte qu'ils n'avaient pas la formation adéquate pour exercer le métier de leur choix.

Quand vous aurez une idée assez précise du genre de situation qui vous intéresse, consacrez-lui régulièrement, une ou deux fois par jour, une séance d'autosuggestion: imaginez-vous en fonction dans votre nouveau poste. Vous pourriez, par exemple, imaginer qu'un nouveau collègue vous fait visiter l'entreprise qui vient d'accepter vos services. L'entreprise en question sera un produit de votre imagination, mais vous aurez soin d'y ajouter tous les détails de votre connaissance au sujet de ce type d'entreprise. (Ouvrons ici une parenthèse pour insister sur l'importance d'une bonne documentation. Il serait bon, en effet, de vous renseigner sur le fonctionnement de l'entreprise qui vous intéresse. Vous alimenterez ainsi votre subconscient en informations pertinentes, et celui-ci traitera ces informations à sa façon, c'est-à-dire en créant des multitudes de rapports auxquels vous n'auriez jamais pensé consciemment. Ainsi, vous développerez une approche créative de votre nouveau métier ou de votre nouvelle carrière, et l'employeur ne manquera pas d'apprécier cette immense qualité). L'essentiel de l'autosuggestion consistera en un dialogue constructif avec votre nouveau collègue, dans lequel vous échangerez l'un et l'autre des «trucs» du métier. En fait, il s'agira d'un dialogue entre vous et votre subconscient ayant pour thème votre nouvelle situation professionnelle. Le subconscient sera personnifié, ici, par votre collègue, et vous aurez donc soin d'éviter de contrôler ses répliques et de lui laisser l'entière discrétion de ses paroles. Les mots devront surgir spontanément de sa bouche, et vous devrez prendre pour acquis qu'ils vous resteront complètement inconnus tant qu'il ne les aura pas prononcés.

Après votre séance d'autosuggestion, n'oubliez surtout pas de noter les idées qui vous auront semblé intéressantes. Elles pourraient vous être précieuses, quand vous serez en poste au sein d'une entreprise réelle.

2. VOUS DÉSIREZ VOUS ENRICHIR EN FONDANT UNE ENTREPRISE

En premier lieu, il vous faut trouver une bonne idée: quel genre de service ou quel genre de produit souhaitez-vous offrir? Concentrez-vous très souvent sur cette question sans chercher, cependant, à lui trouver une réponse immédiate. Il s'agit simplement de mettre votre esprit en état d'interrogation et de susciter ainsi la mise en marche de vos ressources créatrices. La réponse vous viendra peut-être après quelques jours d'«incubation mentale», ou jaillira subitement de votre subconscient au hasard de vos réflexions, personne ne peut le prévoir. «Renseignez votre subconscient sur le genre de produit ou de service qui vous intéresse. Si, par exemple, vous désirez monter une affaire dans le domaine des produits de beauté, documentez-vous sur le sujet et sur des sujets connexes tels que la mode vestimentaire, etc... Parcourez cette documentation, la nuit, avant de vous endormir, et le matin, en vous réveillant, lorsque votre subconscient est particulièrement sensible à l'information que vous lui transmettez. Ne précipitez pas les choses, laissez votre subconscient traiter cette information à sa manière, et mettez-vous en contact avec lui en vous accordant chaque jour une séance semblable à celle que nous proposons au chapitre 6, afin de voir où vous en êtes.

Quand vous aurez trouvé l'«idée du siècle», réfléchissez aux différentes façons de la commercialiser. Vous pourriez, par exemple, partir en quête d'un ou d'une associée qui possède déjà une entreprise oeuvrant dans ce domaine ou dans un domaine connexe, et lui proposer un partage financier des «risques». Ou vous pourriez agir en solitaire ou avec des personnes de votre entourage, afin de bâtir votre entreprise de toutes pièces. Dans un cas comme dans l'autre, vous déciderez d'une mise de fonds déterminée, au dollar près, que vous soustrairez à vos économies ou que vous irez chercher ailleurs, en vous fixant un délai précis pour l'obtenir. Il est important de fixer des délais très précis pour obtenir ce que l'on veut, et il est très important également de déterminer avec précision ce que l'on veut, qu'il s'agisse d'un montant d'argent ou autre forme de ressources. De cette façon, nous ne risquons pas d'avancer à l'aveuglette, et nous pourrons mieux concentrer nos énergies au lieu de les gaspiller à poursuivre des buts vagues et mal définis.

Bien des gens, cependant, ont de grandes réticences à préciser leurs buts et à se fixer des délais précis pour les atteindre. C'est encore la peur de l'échec qui est la cause de ces réticences. «Quand l'on ne sait pas exactement ce que l'on veut, l'on ne sait pas exactement ce que l'on perd», tel est le principe désuet qui gouverne la plupart des gens. Mais il ne faut pas voir la précision de nos buts et la précision de nos délais sous l'angle du fatalisme. Elles ne sont, sans plus, que des moyens efficaces de nous faire penser et de nous faire agir avec pertinence et intensité.

Une fois que vous aurez déterminé avec exactitude le produit ou le service que vous désirez vendre, la façon dont vous espérez le vendre, la mise de fonds que vous êtes prêt à investir et le temps qu'elle mettra pour fructifier vers un montant précis, accordez-vous chaque jour une séance d'autosuggestion de quelques minutes ayant pour thème votre succès financier.

Imaginez à quoi ressemblerait une journée de travail dans votre peau de nouvel entrepreneur ou de nouvelle entrepreneuse. Vous pouvez vous imaginer en train de discuter certains détails avec vos associés ou avec des conseillers. Il s'agirait alors d'un conseil d'administration imaginaire dans lequel vos associés ou vos conseillers seraient les porte-parole de votre subconscient. Et vous aurez soin, encore une fois, d'éviter d'anticiper et de contrôler leurs paroles et de les laisser venir de façon automatique, quand bien même il s'agirait de propos en apparence farfelus. Les idées les plus farfelues s'avèrent bien souvent les plus prolifiques! Il va sans dire que vous ajouterez à la situation et au décor tous les détails qui vous sembleront les plus pertinents. Il serait intéressant, avant de commencer la séance d'autosuggestion, que vous dressiez une petite liste des questions que vous aimeriez poser à vos conseillers ou à vos associés imaginaires. Vous pouvez leur poser des questions très techniques, concernant, par exemple, la présentation du produit, sa promotion, etc., ou des questions d'ordre général concernant la façon d'obtenir un maximum de bénéfices et d'efficacité avec un minimum d'investissement et d'effort. Dites-vous bien que votre subconscient est une mine inépuisable d'informations. Votre facilité à communiquer avec lui déterminera dans une large mesure l'étendue de vos succès matériels:

VOUS AVEZ EN VOUS-MÊME LE MEILLEUR ASSOCIÉ QUI PUISSE EXISTER.

Chapitre XVI

QUAND ON AIME ON
A TOUJOURS VINGT ANS...

Avec le temps, le coeur subit inévitablement des blessures. Déceptions, séparations, divorces, infidélités, veuvage, monotonie sont le lot de la plupart des existences. Ces expériences ont généralement pour effet de fermer le coeur. On a peur de souffrir. On se dit que jamais plus on n'aimera. On se dit qu'on a passé l'âge pour ce doux frisson de l'amour. Et pourtant on sent qu'on va à l'encontre de sa vraie nature, on éprouve un vide dans sa vie... Et on souffre de la solitude car rares sont ceux qui sont faits pour une solitude durable et véritablement épanouie. En fait, et peu importe son âge, aimer est un droit. Et un devoir. La vie même est amour dans son courant le plus profond. Celui qui cesse d'aimer cesse de vivre. Par ailleurs l'usure du temps a tendance à rendre certaines relations monotones. Et pourtant il est possible de retrouver la joie et l'harmonie du début. Pour apprendre à ouvrir son coeur à l'amour, pour se «réconcilier avec son partenaire et le redécouvrir», l'autosuggestion peut être fort utile. Voyons maintenant les différents cas où elle peut être utilisée avec succès.

1. VOUS ÉPROUVEZ UN AMOUR SINCÈRE POUR VOTRE PARTENAIRE MAIS UN CONFLIT MENACE L'HARMONIE DE VOTRE COUPLE.

En premier lieu, demandez-vous de quelle nature est ce conflit. Quels sont les vrais facteurs qui compromettent l'harmonie de votre couple? S'agit-il d'une mauvaise attitude de votre partenaire à votre égard ou de vous à l'égard de votre partenaire? Est-ce un manque d'imagination et de fantaisie de part et d'autre qui vous empêche de renouveler l'intérêt de votre vie commune? Tout repose-t-il sur un malheureux malentendu qui n'a toujours pas été résolu et qui s'est envenimé avec le temps? Serait-ce le sentiment d'être négligé qui vous pousse à nourrir une secrète rancune à l'égard de votre partenaire? Posez-vous calmement ce genre de questions, sans chercher, cependant, à leur trouver une réponse immédiate. Il ne sert à rien de précipiter les choses. Regardez la situation avec sérénité, évitez toute espèce de fatalisme, évitez toutes formes de procès. Vous verrez d'ailleurs qu'en cessant de porter des «accusations» contre votre partenaire et votre entourage, ceux-ci perdront à leur tour toute envie de vous «accuser» de quoi que ce soit.

Il ne sert à rien, non plus, d'intellectualiser les choses. Cela pourrait, tout au plus, vous faire endosser des explications superficielles, qui ne «collent» pas réellement à la situation. Si une explication quelconque vous vient à l'esprit, faites-lui subir un «test de mensonge», confrontez-la avec vos sentiments. Cette première étape vise surtout à clarifier vos intentions, afin de savoir quelle orientation donner à votre séance d'autosuggestion. Si, par exemple, vos intentions profondes et positives sont mêlées à des intentions de vengeance à l'égard de votre partenaire ou d'une tierce personne qui vous semblerait responsable de votre conflit sentimental, votre séance d'autosuggestion risque fort d'être orientée dans un sens négatif.

Afin de neutraliser ces pensées négatives qui parasitent votre esprit, prononcez oralement ou mentalement l'affirmation suivante:

JE PEUX RÉAPPRENDRE À AIMER MON OU MA PARTENAIRE AFIN DE VIVRE AVEC LUI OU ELLE UNE RELATION D'AMOUR EXCITANTE ET VALORISANTE.

Répétez cette affirmation à quelques reprises en y mettant toute la conviction possible et en prenant de profondes respirations, afin de raffermir votre volonté, d'améliorer vos rapports sentimentaux. On ne saurait trop insister, ici, sur l'importance d'une bonne respiration. En général, les problèmes sentimentaux nous placent dans un état de grande sensibilité émotive, et, pour des raisons encore inconnues, cette sensibilité se traduit par une sorte de resserrement au sein de l'abdomen, comme si une sorte de noeud se formait à la hauteur de notre estomac. Cette sensation fort déplaisante entretient l'état angoissé de notre esprit. En respirant profondément et de façon régulière, nous favorisons une meilleure infiltration de l'air à travers tout notre abdomen, ce qui a pour effet de dénouer ce «noeud» qui enserre notre estomac.

Quand vous sentirez votre esprit chargé d'énergie positive, amenez votre corps à un état de profonde relaxation, étendez-vous confortablement dans un endroit obscur et silencieux, fermez les yeux et imaginez la situation suivante:

Vous êtes en compagnie de votre partenaire dans un jardin ensoleillé. Vous avez marché longtemps en portant chacun sur vos épaules un lourd sac. Votre sac et celui de votre partenaire contiennent toutes les mauvaises pensées et tous les mauvais souvenirs qui ont pu jalonner votre vie de couple. Vous auriez pu vous en débarrasser en les abandonnant au bord d'un chemin, mais vous préférez trouver un moyen plus définitif et plus propre. Vous arrivez justement à proximité d'un puits profond. C'est le puits de l'anéantissement: tout ce qu'on y jette se trouve à jamais anéanti, et il n'en reste plus qu'un vague souvenir. Heureux de pouvoir enfin vous délivrer de votre fardeau, vous vous approchez tous les deux afin de poser vos sacs sur le bord de la margelle. Mais vous ne lancez pas aussitôt vos sacs dans l'abîme. Cela ne servirait à rien, car le puits de l'anéantissement n'accepte qu'une chose à la fois et il n'accepte cette chose qu'à la seule condition qu'elle soit pleinement reconnue par celui qui la jette. Si vous ne respectez pas ces deux règles, il vous renverra aussitôt le contenu de votre sac. Vous prenez donc les devants sur votre partenaire et vous ouvrez votre sac pour en tirer une première chose. Si, par hasard, il s'agissait d'une pensée positive ou d'un souvenir agréable qui se serait, par mégarde, glissé parmi les mauvaises pensées et les mauvais souvenirs, ne la jetez pas! Donnez-la plutôt à votre partenaire, en signe d'amour et d'amitié. Dans le cas contraire, invitez votre partenaire à examiner avec vous la chose en question et si, d'un commun accord, vous la jugez malsaine, jetez-la au fond du puits.

Quand vos deux sacs seront vides ou quand vous aurez le sentiment d'avoir jeté une assez grande portion de leur contenu, vous verrez se dresser devant vous une magnifique fontaine. C'est la fontaine de la purification et du renouveau. Son eau pure et limpide fait éclore les aspects positifs de votre personnalité et ceux de votre partenaire. Vous enlevez tous deux vos vêtements, à moins que vous ne soyez déjà nus, et vous pénétrez dans le bassin d'eau fraîche. Vous êtes debout, l'un près de l'autre, mais vous ne touchez pas à votre partenaire. Vous attendez que le contact se fasse de façon naturelle. Peu à peu, l'eau de la fontaine, en s'écoulant le long de votre corps, fait naître des bourgeons éclatants et merveilleux qui ne sont rien d'autre que les aspects positifs de votre personnalité. Bientôt, les bourgeons s'épanouissent en de belles fleurs, votre corps et celui de votre partenaire en sont maintenant couverts des pieds à la tête. Puis, les tiges de vos fleurs s'étirent et s'étirent encore jusqu'à rejoindre celles de votre partenaire, favorisant d'un corps à l'autre la libre circulation de vos énergies positives.

Vous pouvez, si vous le désirez, vous contenter du «puits de l'anéantissement» et réserver «la fontaine du renouveau» pour une autre séance de visualisation créatrice. Il se peut, en effet, que la situation imaginée dans le «puits de l'anéantissement» ne vous paraisse pas assez concluante pour que vous puissiez la compléter par un «bain de renouveau». Dans un cas comme dans l'autre, tout va pour le mieux. La scène du «puits de l'anéantissement» à elle seule vous rendra apte à dialoguer avec votre partenaire sur une base plus sincère et plus stimulante. Peu à peu, il ou elle se laissera entraîner par ce nouvel état d'esprit que vous aurez su créer en vous-même. En réalité, l'influence bénéfique que vous exercerez sur son propre esprit pourrait être bien plus profonde et bien plus décisive que vous ne pourriez l'imaginer! Il est important, cependant, que vous insistiez sur un détail de la scène en question: en aucun cas vous ne devez décider à l'avance du contenu de votre sac ou même de celui de votre partenaire. Vous devez sortir les choses au fur et à mesure, en tenant pour acquis que le contenu du sac vous restera inconnu tant que vous ne l'aurez pas exhibé. Vous laisserez ainsi une intéressante marge de manoeuvre à votre subconscient et celui-ci pourrait vous dévoiler des détails de votre vie sentimentale auxquels vous n'auriez jamais songé.

2. VOUS VIVEZ DANS LA SOLITUDE ET VOUS ES-PÉREZ FAIRE UNE RENCONTRE QUI DÉBOU-CHERA SUR UNE RELATION D'AMOUR, MAIS VOUS MANQUEZ DE CONFIANCE EN VOUS-MÊME ET VOUS NE POUVEZ VOUS RÉSOUDRE À ABOR-DER LES PERSONNES DU SEXE OPPOSÉ.

Tout d'abord, demandez-vous d'où provient ce manque de confiance en vous-même. La plupart du temps, les gens qui manquent de confiance en eux-mêmes sont ceux qui ont vécu, à une époque de leur vie qui pourrait être l'enfance ou l'adolescence, des événements qui les ont fait douter de leur vraie valeur. Suite à ces événements, ils ont déclenché en eux-mêmes un processus de dévalorisation qui n'a fait que s'aggraver avec le temps. Voici, par exemple, les mauvais sorts qui accompagnent généralement ce processus:

• PERSONNE NE S'INTÉRESSE À MOI.

• LES GENS QUI M'INTÉRESSENT NE S'INTÉRES-SENT JAMAIS À MOI.

• JE NE DEMANDE PAS GRAND-CHOSE: SEULE-MENT UN PEU D'ATTENTION.

• JE NE SUIS PAS «FAIT» POUR VIVRE LE GRAND AMOUR.

Ces mauvais sorts sont empreints de fatalisme. Le fatalisme caractérise d'ailleurs les gens qui manquent de confiance en eux-mêmes. Ces gens ont peur de se lancer dans telle ou telle expérience, car, pour eux, chaque tentative est la dernière. Ils n'essaieront rien tant qu'ils ne seront pas absolument certains de leur succès, et comme ils n'en sont jamais certains, il s'ensuit qu'ils demeurent inactifs. Un seul échec suffit à les convaincre de leur soi-disant incapacité. Ce fait est particulièrement évident dans le cas des rapports sentimentaux. À l'occasion d'une rencontre intéressante, leur désir de susciter une relation sérieuse avec la personne en question est continuellement perturbé par la peur d'un échec. Au lieu de suivre leurs impulsions, ils leur imposent toutes sortes de barrières, ce qui a pour effet de rendre leur façon d'être artificielle aux yeux des autres. À la base de ce malheureux comportement, il y a, bien entendu, un profond manque de confiance en eux-mêmes et, par conséquent, un profond manque de confiance envers les autres. Si tel est votre cas, rien ne vous oblige à perpétuer plus longtemps cet état d'esprit.

Installez-vous à votre aise dans le calme et l'obscurité, et, en guise d'antidotes à vos mauvais sorts, prononcez ces quelques affirmations, en leur donnant la force d'une idée fixe et en prenant de profondes respirations:

• JE SUIS DIGNE D'INTÉRÊT.

• LE MONDE REGORGE DE GENS QUI POURRAIENT S'INTÉRESSER À MOI ET POUR QUI JE POURRAIS ÉPROUVER, À MON TOUR, UN IMMENSE INTÉRÊT.

- JE SUIS DIGNE DE LA PLUS GRANDE ATTENTION.

- JE SUIS TOUT À FAIT DISPOSÉ À VIVRE LE GRAND AMOUR.

Quand vous sentirez que la confiance emplit votre esprit, relaxez-vous, respirez lentement et profondément et fermez les yeux. La situation que vous imaginerez s'inspirera d'une technique de méditation connue sous le nom de «technique de la bulle rose». Certains auteurs insistent sur l'importance de la couleur rose qu'ils associent à la couleur de notre coeur et qui aurait, à leur sens, la propriété de renforcer notre sentiment de confiance. Mais il est inutile de vous arrêter à ce genre de détail et de vous contraindre à visualiser le rose dans votre autosuggestion. La couleur peut en être tout à fait absente, et vous pouvez vous contenter d'une impression de lumière intérieure, ou encore, de traduire toute la situation sous forme de pensées verbales. Voici maintenant la situation que vous imaginerez:

Vous êtes seul au sommet d'une colline qui surplombe la ville ou le village où vous habitez. De tous les côtés, l'horizon s'étend à perte de vue. En contemplant la terre et le ciel, vous êtes peu à peu sensibilisé par l'immensité de l'univers. Vous prenez conscience de la multitude d'êtres humains qui peuplent le monde. Vous savez que le (ou la) partenaire idéal(e), celui ou celle que vous aimeriez rencontrer et qui aimerait vous rencontrer, existe bel et bien, quelque part, au milieu de tous ces êtres humains. Prenant pleinement conscience de ce fait, vous décidez d'attirer à vous le ou la partenaire de vos rêves. Une large bulle flottant dans le ciel descend vers vous. Elle se pose à vos pieds, attendant que vous la remplissiez de vos souhaits avant de s'envoler à nouveau pour aller chercher, parmi tous les êtres qui peuplent la région, celui ou celle qui répondra à vos désirs. Vous tracez, avec toute la sincérité possible, un portrait fidèle de votre partenaire idéal. Il s'agira, bien entendu, d'une personne qui pourra vous aimer autant que vous pourrez l'aimer vous-même, d'une personne qui saura apprécier vos qualités autant que vous saurez apprécier les siennes. Quand vous serez pleinement satisfait de son portrait, enfermez-le dans la bulle, et imaginez que celle-ci s'envole à la recherche de votre partenaire idéal. Sur ses contours, vous aurez projeté une intense lumière qui la fera ressembler à une étoile brillante, et cela ne sera rien d'autre que l'énergie positive de votre esprit.

Ce petit exercice d'autosuggestion peut produire des résultats surprenants. D'une part, il vous permet de tracer un portrait assez précis de la ou du partenaire de vos rêves. Savoir de façon précise ce que l'on veut nous rend apte à l'obtenir. Et d'autre part, il introduit dans nos pensées ce principe fondamental suivant lequel il se trouvera toujours, parmi la multitude d'êtres humains qui évoluent autour de nous, une personne qui correspondra tout à fait à nos désirs et pour qui nous serons, nous-même, le ou la partenaire idéale. Pratiquez-le à quelques reprises, en y mettant toute l'intensité possible, et votre confiance en vous-même et à l'égard du monde en général s'accroîtra de jour en jour.

Chapitre XVII

RAJEUNIR ET RESTER JEUNE

Nous avons tous été élevés dans la peur de la vieillesse et de la mort. La société occidentale nous incite à voir la mort sous l'angle du fatalisme et nous montre la vieillesse comme une progression vers notre propre fin. Parvenu à l'âge de soixante ans, elle nous invite à nous retirer de la vie sociale active, comme si nous n'avions plus rien d'autre à faire que d'attendre le trépas. Alors qu'en réalité c'est souvent à cet âge que nous pouvons donner le meilleur de nous-même à la société. Mais nous choisissons de gaspiller toutes ces belles qualités que nous avons développées en nous-même, toute cette riche expérience accumulée au cours de notre existence, et toutes les ressources créatrices de notre esprit, pour nous enfermer dans une absurde et malsaine inactivité. Sans même nous en rendre compte, nous «soumettons» à notre subconscient un plan diabolique pour qu'il s'applique à détériorer notre corps et notre esprit. Nous lui «soumettons» un plan de mort.

À l'origine, alors que notre corps physique n'était encore qu'une cellule fécondée, notre subconscient veillait à l'application du plan héréditaire afin que la cellule se développe en foetus, en enfant, en adolescent et en adulte. Ce plan héréditaire supposait également qu'à un certain stade le développement serait accompli pour l'essentiel, c'est-à-dire vers l'âge de vingt-cinq ans ou quelquefois plus tard dans certains cas. La seule chose dont nous soyons certain est que ce plan héréditaire comporte une échéance naturelle pour chaque stade de développement corporel, du stade de la cellule fécondée jusqu'au stade adulte. Il faut, par exemple, neuf mois à cette cellule pour s'épanouir en un foetus mature, un peu plus d'une dizaine d'années à ce foetus accouché pour s'épanouir en un jeune adolescent capable de reproduction sexuelle et encore une quinzaine d'années à ce jeune adolescent pour s'épanouir en une femme ou un homme adulte dont l'armature osseuse est enfin achevée.

Mais le plan héréditaire que notre subconscient s'est appliqué à réaliser ne comportait aucune échéance ultime. En d'autres mots: il ne comportait aucune date de décès. Bien entendu, il existe des limites naturelles à la longévité. Mais l'échéance de notre mort est infiniment plus flexible, infiniment plus vague au point d'en être presque inexistante, que l'échéance de notre développement embryonnaire et infantile. Prenons une image: une jeune fille ne peut décider, même en visualisant ce désir avec intensité et en pratiquant jour et nuit l'autosuggestion d'être apte à la reproduction sexuelle à l'âge de sept ans. Son plan héréditaire comporte, pour la maturité sexuelle, une échéance bien trop précise, bien trop rigide. Ce nouveau plan qu'elle propose à son subconscient entre en trop grande contradiction avec le plan héréditaire. Bref, elle ne pourra obtenir ce qu'elle désire. Mais nous connaissons, par contre, de nombreux cas de personnes qui, à l'âge de quarante ou cinquante ans, proposaient à leur subconscient un plan de détérioration rapide de leur corps. Et, bien souvent, ces personnes obtenaient ce qu'elles appréhendaient dans un laps de temps assez réduit.

Beaucoup de nouveaux retraités meurent peu après s'être retirés de la vie sociale active. Et parmi eux, il s'en trouve une grande proportion dont l'état de santé ne laissait aucunement présager une fin aussi rapide. Se croyant devenus inutiles et encombrants pour la société, ils ont purement et simplement soumis un plan de mort à leur subconscient. Le subconscient pouvait appliquer ce plan, et c'est ce qu'il a fait!

Il ne faut pas chercher loin le secret de longévité de génies tels que Picasso, qui mourut à 92 ans, ou du pianiste Arthur Rubinstein, qui mourut à 98 ans. La mort ne faisait pas partie de leurs «plans»! Ils avaient encore trop à faire pour songer à mettre un terme à leur prolifique existence. Il existe une tribu, dans les montagnes du nord de l'Inde, dont la moyenne d'âge varie entre 125 et 150 ans. On pourrait expliquer cette étonnante longévité par un certain nombre de facteurs physiques: les membres de la tribu Hunza, ainsi qu'elle se nomme, mangent très peu de viande, ne consomment que deux repas légers par jour, et profitent de l'air sain et vivifiant de la montagne. Mais tous ces facteurs ne pourraient jamais, à eux seuls, produire une moyenne d'âge aussi incroyable! En fait, l'organisation sociale et l'attitude des Hunza face à la vieillesse sont beaucoup trop différentes des nôtres pour que nous ne les prenions pas en considération. Chez les Hunza, la vieillesse n'existe pas. C'est un concept qu'ils ignorent. Seule existe pour eux la maturité du corps et de l'esprit. Les membres âgés de la tribu sont donc très valorisés et l'importance de leur rôle au sein de la communauté ne fait que s'accroître d'année en année. Ces membres âgés demeurent très actifs, l'idée de retraite leur est absolument inconnue. Chaque jour, les Hunza, jeunes et moins jeunes, s'accordent de longues séances de méditation, réalisant ainsi une parfaite harmonie entre l'activité de l'esprit et celle du corps.

Il serait faux, par ailleurs, de prétendre que notre contexte social nous oblige à être ce que nous sommes parfois: des retraités reclus de la vie sociale active et condamnés à mourir dans le silence et la passivité. La société nous y incite, mais elle ne nous y force aucunement. Libre à nous, chacun quel que soit son âge, de rester actif sur le plan social et personnel. Il est vrai que bien des entreprises imposent à leurs employés d'une soixantaine d'années une retraite forcée. Mais pourquoi envisager la situation sous l'angle du fatalisme et s'appliquer à se détruire soi-même? Cette «retraite» ne devrait-elle pas représenter le début d'une vie mieux remplie, plus libre, plus créative et plus gratifiante?

Nous devons remplacer dans notre esprit l'idée de vieillesse par celle de maturité. Et le plan de détérioration de notre corps et de notre esprit par un plan de vie et de créativité. Voici, à ce titre, un exercice d'autosuggestion à travers lequel vous allez produire une image intense et stimulante de votre vie future, en utilisant le symbole de l'arbre:

Relaxez-vous en profondeur, prenez de lentes et de profondes respirations, fermez les yeux et imaginez la scène suivante:

Vous êtes une minuscule graine enfouie dans la terre noire et humide. Vous sentez l'immense poids de la terre écraser votre fragile membrane. Vous êtes complètement recroquevillé sur vous-même, dans la chaleur, la moiteur et l'obscurité. Puis, peu à peu, votre membrane s'entrouvre et vous devenez la tige naissante d'un arbre qui entreprend sa lente ascension vers la lumière du jour. Tout en montant à la surface de la terre, vous éprouvez une agréable sensation d'étirement, semblable à celle que vous éprouvez en vous réveillant d'un profond sommeil. La terre au-dessus de vous devient soudain plus friable, plus légère. L'extrémité de votre tige jaillit enfin à la lumière du jour et s'étire lentement vers le ciel. Peu à peu, vous sentez de petits appendices émerger sur votre partie supérieure; ce sont vos branches qui se détachent de ce jeune tronc que la tige est maintenant devenue. Des feuilles vertes commencent à pousser sur vos branches naissantes. Tout en poursuivant votre ascension vers le ciel, vous êtes secoué par des rafales de vent. À quelques reprises, le vent vous couche au sol. Mais, au fur et à mesure que vous gagnez de la hauteur et du volume, que votre tronc s'élargit, que vos branches deviennent massives, le vent perd de son emprise. À la fin, il n'est plus qu'une douce caresse. Vous êtes maintenant un bel arbre, puissant et robuste, dressé majestueusement vers les nuages. Une sève chaude et agréable s'écoule lentement de vos racines jusqu'aux extrémités de vos branches supérieures. Vous éprouvez l'agréable sensation de cette massivité et de cette robustesse calme et sereine que le temps confère aux arbres centenaires.

Tout en vous imaginant dans la «peau» d'un bel arbre, vous pouvez mimer par des postures et des gestes le développement de la racine en tige, de la tige en tronc et du tronc en arbre. En gardant les yeux bien fermés, mettez-vous en boule, puis étirez votre corps sur la longueur, tout en maintenant vos jambes collées et vos bras pressés le long de votre corps, afin de simuler la tige et le tronc. Après quoi, déployez lentement vos membres et levez les bras au-dessus des épaules. Vous pouvez exécuter ces mouvements vers la verticale, ou à l'horizontale, étendu sur le plancher ou dans votre lit.

CONCLUSION

La jeunesse véritable n'est rien d'autre que la réalisation de cette toute simple vérité: **les qualités humaines ne vieillissent pas.** L'amour, l'amitié, la sensibilité et la générosité sont des qualités éternelles. Ce qui vieillit, parce que l'on en réalise éventuellement le déséquilibre, c'est la part de nous-même que nous confions à notre vie matérielle, professionnelle, conjugale ou quotidienne, à laquelle nous demandons de fixer notre identité. Mais quand un mode de vie ne remplit plus sa fonction, ou quand on découvre qu'il est devenu un masque qui nous garde loin de nous-même, alors oui la vieillesse devient possible. Nous pensons avoir fait notre temps alors que c'est l'organisation de notre vie et de nos rapports humains qui est usée. Nous perdons confiance en notre vie et en nous-même.

Pourtant la maturité ne peut faire autrement que de nous enrichir de belles qualités: le réalisme, la connaissance de soi, et la liberté de penser qu'on peut vivre pour soi avant tout. Nous pouvons capitaliser sur ces qualités pour devenir ou demeurer créatif et productif, mais d'une manière plus vitale et plus enrichissante.

Il faut évaluer à sa juste valeur l'importance d'une pensée saine, qui nous permettra de réaliser et d'utiliser la puissance de notre esprit en nourrissant notre désir de vivre. Nous possédons tous cette puissance. Notre esprit est le maître véritable de notre existence et c'est en sachant l'utiliser pour acquérir la connaissance de soi que nous acquerrons le contrôle de notre vie. *Vivre correctement n'est rien d'autre que penser correctement:* c'est là la voie du bien-être, qui passe par l'amour de soi et le désir de se réaliser. **Pour rester jeune, il faut commencer par penser jeune.** Si c'était le seul principe que vous ayez retenu de cet ouvrage ce serait non seulement énorme, ce serait l'essentiel.

Vous avez maintenant entre les mains tous les instruments pour rajeunir et rester jeune. Il n'en tient qu'à vous de les utiliser. La pensée est le grand guérisseur et la véritable fontaine de Jouvence. Quelques minutes d'auto-suggestion quotidienne auront sur vous des effets curatifs merveilleux. Mais il faut les faire. Non seulement vous ajouterez des années à votre vie, mais de la vie à vos années… Et n'oubliez pas votre pratique quotidienne de la Technique Nadeau!

Longue vie!

TABLE DES MATIÈRES